Na cozinha com Carolina

Carolina Ferraz

Companhia Editora Nacional

NA COZINHA COM CAROLINA

www.carolinaaugusta.com.br

Diretor Superintendente: Jorge Yunes
Diretora Editorial Adjunta: Silvia Tocci Masini
Editores: Cristiane Maruyama, Marcelo Yamashita Salles
Editora Júnior: Nilce Xavier
Produtora Editorial: Solange Reis
Coordenação de Arte: Márcia Matos
Estagiária de Arte: Camila Simonetti

Receitas
Produção e Food Stylist: Maria Luiza Ferrari e Maria Clara Ferrari (assistente)
Teste das receitas: Arlindo Teixeira e Pedro Lessa

Fotos
Fotografias e Edição: Robert Schwenck e Carolina Ferraz
Tratamento de imagens: Vagalume
Beleza e Make up: Erica Monteiro, Alice Brown e Wemakebrazil.com
Diretor de Set: Edgar Octavio
Agradecimentos: Frescatto, Restaurante Opium

CIP-BRASIL. CATALOGAÇÃO NA PUBLICAÇÃO
SINDICATO NACIONAL DOS EDITORES DE LIVROS, RJ

F432n
Ferraz, Carolina
Na cozinha com Carolina / Carolina Ferraz. - 1. ed. - São Paulo: Companhia Editora Nacional, 2013.

ISBN 978-85-04-01857-8

1. Gastronomia. 2. Culinária - Receitas. I. Título.

13-05425 CDD: 641.5
CDU: 641.5

1ª edição - Companhia Editora Nacional - São Paulo - 2013
2ª Reimpressão - Junho 2015

Companhia Editora Nacional

ABDR — Cópia não autorizada é crime — Respeite o direito autoral — Editora afiliada

Av. Alexandre Mackenzie, 619 – Jaguaré
São Paulo – SP – 05322-000 – Brasil – Tel.: (11) 2799-7799
www.editoranacional.com.br – editoras@editoranacional.com.br
CTP, Impressão e acabamento Serzegraf

sumário

Sempre que saírem às compras, lembrem-se de que tudo o que comemos está diretamente relacionado ao que somos.
Pense que essa comida irá alimentar seu filho, sua irmã, seus amigos. Comer é bom!
Cozinhar é um ato de amor. Não sei se há algum fundamento nisso que vou dizer, mas comer sempre me alegrou... Adoro comer algo quentinho, que aqueça meu corpo, me traga calor e conforto.
Juro! Acho que comer coisas quentes é anti-depressivo, faz bem ao coração.
Seja consciente na hora de escolher o que comer, e divirta-se!

agradecimentos

Eu queria agradecer a todos os meus amigos que me apoiaram ao longo dessa jornada: Giscelda Alvares Ferraz, Valentina Ferraz Anhalt Cohen, Maria Eugênia Alvares Ferraz, Daniela Alvares, Lenny Niemeyer, Nazareth e Oskar Metsavaht, Lalá Guimarães, Helena Augusta, Robert Schwenck, Carla Pernambuco, Andrea Fraga d'Egmont, Edgar Octavio, por nunca terem me deixado desanimar, a Maria Isabel, que me aguentou com todo o carinho e paciência do mundo durante o processo de produção do livro, Alessandra Blocker pela coragem e apoio, e a Luisa Veiga, a fofa que me ajudou a testar as receitas.

Dedico esse livro a todas as Marias do mundo!

introdução

Para os que estão entrando em contato com este meu lado agora, saibam que minha paixão por cozinha é antiga, começou há muitos anos, ainda pequena, na cidade de Goiânia, quando minha mãe fazia jantares pros amigos e ficava o dia inteiro às voltas com os preparativos. Sempre adorei o espaço da cozinha, pra mim o recanto mais caloroso e vibrante de uma casa. Me lembro da minha mãe se mexendo de um lado pro outro, picando cebola, provando molhos, preparando as carnes, um pouquinho de vinho aqui, uma pitada de pimenta ali e aquele cheiro incrível que tomava conta de todos os ambientes. Fui constantemente estimulada por essa mãe generosa, que permitia que eu interferisse, experimentasse e muitas vezes estragasse fôrmas e panelas. Minha paixão por essa alquimia chegou ao ponto de algumas vezes eu sair sem destino pra provar qualquer coisa, voltar pra casa e, pura pretensão, tentar reproduzir exatamente o que havia experimentado apenas com a memória do paladar. Confesso que poucas vezes acertei, outras errei profundamente, mas na maioria acabei fazendo a minha própria interpretação de tudo o que provava. Descobri na cozinha um universo rico, generoso, sem fronteiras, onde, literalmente, tudo é permitido.

À medida que fui crescendo e meu trabalho foi exigindo mais do meu tempo, descobri que no estúdio a minha libertação era a literatura. Adoro chegar num estúdio de gravação carregando meu livrinho embaixo do braço. Com ele, sei que posso ultrapassar mais um dia de trabalho. A cozinha tem a mesma função pra mim quando não estou trabalhando, é a minha

alforria, um lugar onde entro e me esqueço de tudo. Meu único desejo é combinar elementos que sejam suficientemente atraentes para agradar meus amigos, mimá-los, engordá-los, acariciá-los, com pratos quentes, saborosos, ternos, que possam de alguma maneira esquentar debates e discussões que travamos em volta da mesa.

Muitas vezes cozinho pra mim mesma. Chego exausta, jogo minha bolsa na sala e vou direto pra cozinha preparar uma refeição cheia de amor e carinho com tudo aquilo que mereço depois de ter enfrentado mais um dia, pois comer pra mim sempre esteve ligado ao afetivo. Me lembro de uma vez em que fui passar o Réveillon na casa de um casal de amigos em Búzios. Quando fui convidada, eu disse: "Ok, mas eu cozinho". Imagino a surpresa de minha amiga quando meu motorista atracou na casa dela com o carro abarrotado de panelas, travessas, azeites, temperos e evidentemente minhas facas e colheres. Tinha até máquina de frozen marguerita (pois, afinal de contas, fim de ano na praia requer uma boa dose de drinques refrescantes e relaxantes). A minha amiga (que é uma excelente dona de casa) me ligou morrendo de rir: "Que é isso, amor?! Aqui em casa tem tudo. A gente não prepara carne no espeto na fogueira, não. Tá pensando o quê?". Nós morremos de rir. Na verdade, se fosse em qualquer outro lugar, jamais eu teria feito isso, mas como temos bastante intimidade, me senti à vontade. Afinal, quem gosta de cozinhar sabe que nada melhor do que aquela caçarola que conhecemos, sabemos exatamente como ela conserva o calor, quanto tempo leva pra esquentar, qual a aderência... E facas, meu Deus, facas! Como elas são importantes! Então, a despeito de termos rido muito, o final de ano foi inesquecível. Passei quatro dias na cozinha. Preparava almoço, aperitivos e jantar todos os dias. Tenho certeza de que saímos de lá todos um pouco mais gordinhos, mas certamente muito felizes. Até hoje, quando nos encontramos, ela solta: "Ah, aquele seu risoto de limão...". E tantas outras vezes em minha vida em que, sem nem me dar conta, a cozinha se tornou o centro de tudo.

Certa vez, quando minha filha ainda era pequena, aluguei uma casa perto de Lucca, na Toscana, e passei lá dois meses. Minha maior alegria era todos os dias ir ao verdureiro comprar apenas os tomates que iria consumir naquele dia, o carpaccio fresco fininho, cortado na hora, aquele azeite trufado ou simplesmente dourado. Me lembro de nunca ter me excedido, tomava o cuidado quase militar pra que realmente tudo o que era comprado fosse consumido ao longo daquele único dia (chiquíssimo isso, né?!). Todos os dias, meu maior prazer quando acordava era sair em busca dos alimentos que seriam devorados. Foi uma experiência linda. Fiquei amiga do verdureiro, do peixeiro, do açougueiro, do rapaz bonito e simpático da botega, que sempre separava pra mim os melhores pedaços de parmesão e, de quebra, pra me cortejar, como todo bom italiano, guardava frutas secas, que me dava escondido por debaixo do balcão, e eu me deliciava com figos, tâmaras e damascos, como nunca mais tive o prazer de comer.

Uma vez, em Lucca, eu estava toda prosa no meu verdureiro de sempre, Salvatore, numa das ruas transversais à praça principal da cidade, comprando alcachofras frescas e algumas cebolas roxas. Ao meu lado tinha uma senhora com um chapeuzinho enfiado na cabeça, óculos de aros grossos, gesticulando com muito vigor, a plenos pulmões, discutindo irritadíssima com o verdureiro: "*Ma dai, Salvatore, cosi gli zucchini (abobrinha) a Federico non piacciono*[1]". Foi então que me dei conta de que a tal senhora com o chapéu enfiado na cabeça e óculos de aros grossos era ninguém mais ninguém menos que Giulietta Masina, simplesmente comprando *zucchini* para Federico Fellini, e o pobre do Salvatore com *zucchini* que deixavam muito a desejar. Este tipo de coisa, que acontece espontaneamente em lugares onde a cultura da alimentação é tão importante como na Itália, sempre me apaixonou. Pensem bem, entre uma alcachofra fresca e um *zucchino* mais ou menos, tive a oportunidade de ver Giulietta Masina em ação. Assim que ela se retirou, o meu desejo de possuir os *zucchini* do Fellini era tão grande, afinal estava a centímetros de distância deles, que comprei todos. Talvez não estivessem à altura de Giulietta e Federico, mas como fã ensandecida do casal que sou, lancei pro Salvatore: "*Se a Federico non piacciono, a Carolina piacciono molto, dammi tutti gli zucchini, dammi tutti* [2]". E passamos dois dias inteiros comendo zucchini: lasanha de zucchini, *zucchini* recheado, macarrão com zucchini... E ao final do primeiro dia, Valentina já cansada da tortura, puxava minha calça e dizia: "Mãe, o que a gente vai comer?". Eu dizia: "*Zucchini*, minha filha!". Ela torcia o nariz: "Ai, mãe!". E eu morria de rir dizendo: "Querida, são os zucchini do Fellini". Pobre Valentina, aos quatro anos de idade já era torturada com meus delírios gastronômicos.

E assim se passou esse período na Itália. Experimentei de tudo e realmente a lembrança que não me sai da cabeça era sempre o final de tarde, quando uma luz muito bonita entrava pela janela da cozinha e eu lá estava iniciando os preparativos pro jantar, então todos os meus hóspedes chegavam um a um, se sentavam ali na mesa e ficávamos batendo papo, conversando amenidades, enquanto eu preparava a nossa refeição. E me lembro dessa época como uma das mais felizes da minha vida. Muita gente pode pensar: "Duvido que ela realmente goste de comer, magrinha do jeito que é". A verdade é que eu como, sim, e sou muito agradecida a todos pelo "magrinha do jeito que ela é", mas acredito que comer traz alegria e calor ao coração. Tenho certeza de que todo mundo com o coração alegre tem o metabolismo mais ativo. Sem desprezar ou ignorar fatos comprovados da ciência, acredito que alimentos frescos e saudáveis, evidentemente sem nenhuma compulsão ou exagero, podem ser consumidos sem neuras. Acho que nenhum de nós merece ser privado de carboidratos, afinal quem resiste a um belo prato de macarrão ou mesmo a um risoto primavera?

Devo confessar, tenho uma sorte incrível, pois não sou fã de doces (vou falar mais sobre isso no capítulo "Doces"). Gosto mesmo é de salgados. Amo uma boa carne, uma boa massa, saladas e uma coisa que as pessoas não apreciam tanto, que ao longo dos anos se tornou uma das minhas grandes paixões: as sopas. Espero que depois deste livro, vocês também passem a gostar um pouco mais desse prato líquido e quentinho que pode ser tão saboroso. O meu objetivo com este livro não é enaltecer os meus dotes culinários, até porque eles são limitados. Não sou e nem pretendo ser uma chef. Me sinto mais como uma Dona Benta pop (risos), uma mulher que trabalha, tem uma vida ocupada, mas que ama cozinhar pra família e pros amigos. Quero, com este livro, me aproximar das pessoas e quem sabe ajudá-las a ter uma vida um pouco mais fácil e saborosa na cozinha, pois acredito que isso será um ganho na vida de cada um. Um presente, pois é dessa maneira que vejo a cozinha na minha vida, um presente que me foi entregue pela minha mãe e que, se Deus quiser, um dia, entregarei à minha filha. ◆

---

1 Caramba, Salvatore, o Federico não gosta das abobrinhas desse jeito.

2 Se o Federico não gosta, a Carolina gosta muito, me dê todas as abobrinhas, me dê todas!

Guia de medidas

(medidas aproximadas)

1 lata de creme de leite = 300 g
1 garrafa de creme de leite fresco = 500 g
1 lata de leite condensado = 395 g
1 copo de requeijão = 220 g
1 tablete de manteiga = 200 g
1 pacote de macarrão = 500 g
1 lata de *pomodori pelati* = 400 g
1 garrafa de vinho = 750 ml
1 taça de vinho = 150 ml
1 garrafa de leite de coco = 200 ml

drinques

Drinques e coquetéis parecem nunca sair de moda. É incrível a popularidade que alguns drinques conquistam mundo afora. Vou aqui passar a minha versão dos meus preferidos. Na verdade, o que eu mais gosto são as histórias que acompanham cada um deles. Vou começar pelo Dry Martini.

top 10 drinks

Dry Martini

Um grande amigo meu uma vez me disse que "um bom Dry Martini é o menor caminho entre aqui e qualquer lugar" e, verdade seja dita, ele tem toda a razão. Naquela noite em que ele proferiu a sentença, não só tomei um Dry Martini, mas três, e realmente cheguei a lugares incríveis (risos).

- **45 ml de gim**
- **5 ml de vermute seco**
- **1 casca de limão**
- **azeitonas verdes**

Misture o gim e o vermute na coqueteleira com alguns cubos de gelo. Mexa até ele esfriar. Imediatamente coloque-o no copo de Martini, torça a pele de limão, mas não a coloque dentro do copo (pode ficar muito ácido). Acrescente a azeitona.

*Pros que não sabem, esse é o drinque preferido e imortalizado por James Bond. Não pode nunca ser muito frio e nem muito seco, dizem os especialistas. A secura vem diretamente da quantidade de vermute. Os aficionados dizem que quanto menos, melhor. Alguns até simplesmente derramam uma gota de vermute no copo. Fácil falar, difícil fazer. Esse é um dos drinques em que nunca, jamais, atingi a perfeição. Boa sorte!

Algonquin

Tomei esse drinque pela primeira vez no Algonquin Hotel, em Nova York. Hoje, já bastante decadente, mas ainda assim, cheio de charme. Não sei se foi por causa do ambiente ou da nítida impressão de que Dorothy Parker podia a qualquer momento cruzar aquela porta que me apaixonei por esse drinque, tão fácil de fazer e tão saboroso.

- **60 ml de bourbon ou scotch**
- **30 ml de vermute seco**
- **30 ml de suco de abacaxi**

Em uma coqueteleira, bata bem os ingredientes com gelo, depois sirva num copo curto, como se servisse *whisky on the rocks*. O mais gozado é que quem me introduziu nesse drinque foi um amigo arquiteto que não bebe.

Clericot

Este é definitivamente um dos meus preferidos. É leve, fresco, perfeito para aqueles dias ensolarados e absolutamente letais. Se você pensa que essa doce bebida, geladinha e suave, é inofensiva, prepare-se, meu amor, coisas incríveis podem acontecer. Jamais subestime o poder de um bom Clericot.

- **1 garrafa de vinho branco seco**
- **200 g de morangos**
- **1 punhado de abacaxi**
- **4 a 5 pêssegos frescos**
- **2 a 3 kiwis frescos**
- **açúcar e gelo, a gosto**

Não se esqueça de adaptar para o seu gosto pessoal. Se preferir outras frutas, não tem problema. Recomendo somente que sejam frutas ácidas, pois a química delas com o vinho é muito melhor. Sinta-se à vontade quanto às proporções: mais ou menos vinho, gelo ou frutas.

Corte o abacaxi em cubinhos e as demais frutas irregularmente. Numa jarra de vidro (quanto maior e mais bonita, melhor), derrame o vinho branco (e honestamente, não escolha um vinho excelente, afinal você vai misturar frutas e açúcar nele, basta que seja um bom vinho seco), junte as frutas, e vá colocando o açúcar. Eu gosto bem docinho. Por favor, não use adoçante. Um bom Clericot precisa ser adoçado com açúcar — e olha que uso adoçante sempre, em várias coisas, mas não no meu Clericot. Misture bem e leve à mesa. Seus amigos vão começar a beber, a mordiscar as frutas que ficaram no fundo do copo e, muito em breve, inevitavelmente, o riso frouxo tomará conta de todos. Eu garanto!

Cosmopolitan

Qual garota, em perfeito juízo, pode dizer que não gosta de um Cosmopolitan? Afinal, depois de ter sido imortalizado em Sex and the City, se tornou quase um hino de Girls just wanna have fun. Difícil de fazer, mas extremamente gostoso e sexy. Eu adoro! E se quem preparar ainda for um barman, muito melhor (risos).

- **60 ml de vodca**
- **30 ml de cointreau**
- **30 ml de suco fresco de limão**
- **30 ml de suco de cranberry**
- **casca do limão (para torcer)**

Antes de extrair o suco do limão, descasque-o e reserve a casca para o final. Em uma coqueteleira, sacuda todos os ingredientes com gelo. Derrube diretamente no copo de coquetel, adicione a espremidinha da casca de limão e... divirta-se!

Caju amigo à la Jaguaribe

Esse drinque se chama amigo porque você o faz como quiser. Vou explicar uma maneira e daí pra frente todas as alterações são possíveis. Quem me ensinou foi uma querida amiga que entende tudo de drinques. Além disso, ela é uma cientista que se aventura por aí experimentando coisas incríveis.

- **cajus frescos e tenros**
- **vodca com pimenta (ou sem, se você preferir)**
- **adoçante, em pó (ou açúcar, se quiser)**
- **lasquinhas de gengibre**
- **1 seringa (de injeção, das grandes)**

Pegue os cajus e com a seringa injete vodca dentro deles. Quando os cajus estiverem cheios e pesados de tanta vodca, leve-os ao *freezer* por 3 a 4 horas. Depois de retirados, triture os cajus com uma faca, jogue os pedaços num copo de caipirinha com 1 saquinho de adoçante (ou açúcar a gosto) e misture mais vodca, gelo e 2 a 3 lasquinhas de gengibre. É ou não é coisa de especialista?!

Bellini

Este drinque foi criado no Harry's Bar em Veneza, em homenagem ao pintor italiano renascentista Giovanni Bellini. Mas alguns dizem que ele foi inventado no Hotel Danielle... Na verdade, pouco importa pra nós, os apreciadores da bebida. Ele é um sofisticado coquetel de verão. Esta receita dá pra dois drinques.

- **1 pêssego fresco, sem pele e sem caroço**
- **1 pitada de açúcar**
- **vinho branco espumante (pode ser champagne ou prosecco)**

Passe o pêssego no processador pra virar um purê. Misture o açúcar. Divida o purê em 2 taças de champagne e derrame gentilmente o vinho por cima.

Melancia à la Vodca

Preste atenção! Este é um drinque que pode ser feito de diversas maneiras. Vou ensinar a forma básica e depois a criatividade de cada um é que determinará o resultado final. Não se intimidem.

- **1 melancia grande (de 2 kg a 3 kg)**
- **1½ garrafa (de 1 litro) de vodca**
- **pimenta-rosa**
- **açúcar e gelo, a gosto**

Faça um furo, circular e profundo, no centro da melancia. Com um funil, derrame uma garrafa e meia de vodca. Calma! Você deverá fazer isso aos poucos. Derrame um pouquinho, espere que seja absorvido e depois derrame mais. E assim sucessivamente. Esse processo é demorado, mas é preciso ter paciência. Cuidado, não deixe sua melancia transbordar! É importante que toda a vodca seja absorvida por ela. Reserve um lugar na geladeira pra colocar a melancia. Deixe-a quietinha de um dia pro outro, pra que fique bem gelada. Minha mãe simplesmente cortava essa melancia em fatias e a servia como sobremesa naqueles dias encalorados (tão frescos na minha memória de quando estávamos na fazenda). Evidentemente era uma sobremesa reservada aos adultos. Eu já prefiro batê-la no liquidificador com gelo, açúcar e um pouquinho de pimenta-rosa. Fica uma maravilha!

* Para saber se a melancia está boa, bata na casca dela. Deverá soar um barulho oco, como se o seu interior estivesse vazio. Saia por aí dando cascudos nas melancias até encontrar a ideal, pois isso faz toda a diferença.

Melancia à la Gin

Essa é realmente uma das minhas preferidas. É incrível como esse drinque é refrescante. Um tanto girly, mas delicioso pra acompanhar um bom almoço e um bom bate-papo durante o verão.

- **1 melancia grande (de 2 kg a 3 kg) (Veja na receita Melancia à la Vodca como escolher a melancia!)**
- **1 garrafa (750 ml) de gim**
- **suco de limão**
- **menta (ou hortelã) fresca**

Faça um furo profundo e redondo no centro da melancia. Com um funil, despeje o gim dentro da melancia aos poucos. Cuidado para não transbordá-la. É importante que todo o gim seja absorvido por ela. Reserve espaço no congelador para deixar a melancia de um dia pro outro ou o dia inteiro. Então é só tirar, quebrá-la ao meio e bater todo o recheio no liquidificador, com algumas gotas de limão e algumas folhas de menta fresca. Sirva em copos clássicos de coquetel (copo do Dry Martini).

Layla – caipirinha de uísque com laranja

Eu tomei esse drinque pela primeira vez no restaurante Salvattore, do meu amigo Jean Milan, em São Paulo.

- **1 laranja-baía, cortada em cubos, com a casca (da mesma maneira que se corta o limão para caipirinha)**
- **30 ml de uísque**
- **açúcar e gelo, a gosto**

Esse drinque é melhor se preparado no copo de caipirinha e não na coqueteleira. Coloque as laranjas com o açúcar (eu prefiro pouco) e amasse-as delicadamente. Acrescente o gelo, de preferência picado em pedaços grandes e por último o uísque. Misture delicadamente. É um drinque forte, mas muito saboroso e refrescante. Espero que goste.

Frozen de tangerina

- **½ litro de sorbet de tangerina**
- **suco de 2 limões (Cuidado, eu sou fã de limão, você pode não ser! Adapte ao seu paladar.)**
- **4 colheres de sopa de açúcar**
- **200 ml de vodca**

Misture o sorbet, o açúcar, o limão com uma colher ou mesmo um garfo. Acrescente a vodca aos poucos, de maneira que o sorbet derreta, mas não completamente, deve ficar um creme espesso e irregular. Sirva imediatamente em copos de drinque clássico (de Dry Martini).

entradas

Eu ficaria tranquilamente jantando entradas (risos)!!! Adoro! Acho muito importante a maneira como se começa uma refeição. Uma boa entrada pode abrir seu apetite ou simplesmente refrescá-lo para finalmente "entrar no clima do jantar". São tantas as possibilidades — frias ou quentes —, que poderia fazer um livro só sobre o assunto. Escolhi algumas das quais me orgulho muito e honestamente espero que gostem e que de alguma maneira elas passem a fazer parte de suas vidas, assim como são parte da minha.

Salada de cuscuz com tomates e chalotas (cebolinhas francesas)

- **120 g de cuscuz (marroquino)**
- **1 chalota, delicadamente cortada**
- **3 tomates sem sementes, cortados em cubos**
- **1 maço de menta (ou hortelã) fresca, picada (só as folhas)**
- **1 maço de salsa fresquinha, picada**
- **coração de 1 alface-americana**
- **suco de 2 limões**
- **casca de 2 limões, ralada**
- **100 ml de azeite de oliva extravirgem**
- **sal e pimenta-do-reino moída na hora, a gosto**

Serve 4 pessoas

Lave a alface e seque as folhas. Reserve. Rale as cascas dos limões na parte fina do ralador antes de cortá-los para extrair o suco. Reserve. Coloque o cuscuz numa vasilha e cubra com água fervente. Deixe descansar até que fique macio, cerca de 30 minutos. Escorra e espere esfriar. Numa travessa, misture o cuscuz com os demais ingredientes, exceto a casca de limão e a alface.

Sirva em porções individuais com um pouquinho de alface-americana e polvilhe por cima a casca de limão. Eu sirvo dessa maneira, mas se preferir, sirva o cuscuz em uma única travessa e deixe seus convidados se servirem à vontade.

Fritata de mussarela com bacon, manjericão e tomates-cerejas grelhados

Fritata:

- 3 bolas grandes de mussarela de búfala, raladas
- 100 g de bacon, finamente fatiados
- 2 ovos grandes, bem batidos
- 1 maço pequeno de manjericão (só as folhas)
- 200 g de *grattugiata* (veja receita p. 113)
- 100 g de queijo parmesão, ralado
- 2 colheres de sopa de azeite de oliva extravirgem (para fritar)
- sal e pimenta-do-reino moída na hora, a gosto

Tomates grelhados:

- 200 g de tomates-cerejas
- 2 dentes de alho grandes, fatiados fininho
- 100 ml de azeite de oliva extravirgem
- sal e pimenta-do-reino moída na hora, a gosto

Serve 4 a 6 pessoas

Fritata: Misture a mussarela, o bacon, os ovos e o manjericão numa vasilha. Umedeça a mão com azeite para poder misturar mais facilmente. Numa travessa limpa, à parte, combine a *grattugiata* de pão com o parmesão, misture bastante e deixe na geladeira por 20 minutos. Quando estiver bem geladinho, tire e agregue a mussarela, o bacon, os ovos e o manjericão, acrescente o sal e a pimenta e, com as mãos, forme pequenos hambúrgueres. Aqueça bem o azeite numa frigideira grande e frite as fritatas até que estejam bem coradas dos dois lados.

Tomates: Frite os tomates no azeite já quente até que eles simplesmente abram as cascas. Acrescente o alho, o sal e a pimenta.

Sirva a fritata de mussarela com os tomates grelhados. Se quiser, sirva também pão bem quentinho e crocante. É uma delícia!

Camarões ao alho e óleo com purê de ervilhas

Purê:

- 2 dentes de alho médios, delicadamente cortados
- 100 ml de caldo de galinha feito em casa (veja receita p. 91)
- 160 g de ervilhas frescas
- ¼ de xícara de chá de menta (ou hortelã) fresca, picada (só as folhas)
- 3 colheres de sopa de azeite de oliva extravirgem
- sal e pimenta-do-reino moída na hora, a gosto

Molho:

- suco de 1 limão
- ½ xícara de chá de salsinha bem picadinha (só as folhas).

Camarões:

- 4 colheres de chá de manteiga sem sal
- 1 dente de alho grande, triturado
- 12 camarões grandes, limpos
- 3 colheres de sopa de azeite de oliva extravirgem
- sal e pimenta-do-reino moída na hora, a gosto
- fatias ultrafinas de pepino japonês (para decorar; opcional)

Serve 6 pessoas

Purê: Aqueça o azeite de oliva e refogue o alho. Acrescente o caldo de galinha e as ervilhas e deixe ferver até que estejam macias (uns 3 a 4 minutos). Passe essa mistura no processador, junte a menta e misture bem até que fique bem macia. Se sentir necessidade, acrescente um pouco mais do caldo de galinha. Tempere com sal e pimenta e deixe de lado para que se mantenha quente.

Molho: Misture o suco de limão com a salsinha e reserve.

Camarões: Aqueça numa frigideira o azeite e a manteiga e frite o alho. Acrescente os camarões e refogue--os até que estejam bem dourados de ambos os lados (uns 4 a 5 minutinhos). Tempere com sal e pimenta. Reserve.

Este prato fica muito bonito se servido em copinhos individuais. Eu mesma sempre faço assim, tipo copinho de boteco mesmo. Coloque 1 a 2 colheres de sopa do purê de ervilhas até a metade do copo. Enfie 2 camarões em um espetinho e deixe-o de pé dentro do copo (se desejar, decore com as fatias de pepino; fica lindo com os camarões). Jogue um tiquinho do molho de limão com salsa e está pronto. Nas minhas viagens afora, acabei comprando colheres de chá dos mais variados tipos: osso, madeira, coco, prata, tenho até de folha de bananeira processada. Sempre sirvo com uma dessas colheres também em cada copo.

Queijo feta com azeitonas pretas e tomilho

- 150 g de queijo feta, esfarelado grosseiramente com as mãos
- 10 azeitonas pretas (eu prefiro as chilenas), sem caroço, picadas grosseiramente
- tomilho fresco (só as folhinhas), a gosto
- azeite de oliva extravirgem, a gosto
- sal e pimenta-do-reino moída na hora, a gosto

Serve 4 a 6 pessoas

Misture todos os ingredientes (eu misturo tudo com as mãos, mas sinta-se à vontade para usar uma colher) e está pronto. Sirva como preferir: acompanhando uma salada ou uma carne, ou simplesmente para comer com pão. Fica uma delícia!

Compota de pimentões

- 6 pimentões alaranjados
- 6 pimentões vermelhos
- 6 pimentões amarelos
- 10 dentes de alho, inteiros e descascados
- 500 ml de azeite de oliva extravirgem
- sal marinho e grãos de pimenta-do--reino, a gosto

Serve 6 a 8 pessoas

Retire as sementes dos pimentões e corte-os em tiras irregulares. Numa travessa refratária, coloque todos os pimentões, os dentes de alho, o azeite. Tempere com pimenta, sal marinho e se quiser, polvilhe com grãos de pimenta. Cubra com papel-alumínio e leve ao forno preaquecido a 125° C por 30 minutos. Mexa eventualmente para que os pimentões e o alho não queimem no fundo da travessa. Dispense o papel-alumínio e aguarde até que os pimentões fiquem corados e bonitos. Retire do forno, espere esfriar e guarde num recipiente hermético.

Essa compota é uma maravilha para acompanhar pães, carnes, massas e chega a durar até 2 meses na geladeira.

saladas

Acho que salada é um dos pratos mais flexíveis que existem. Tem sempre a salada certa para cada momento. Pode ser leve, consistente, *diet*... Não consigo imaginar a minha vida sem legumes e verduras. Cada vez mais acredito que realmente somos o que comemos, por isso preste muita atenção e tenha carinho na hora de escolher seus alimentos. Espero que aproveitem!

Salada de rúcula, amêndoas, cenoura e queijo roquefort

- 2 a 3 maços de baby rúcula (folhinhas novinhas)
- 4 cenouras grandes, cortadas em tiras finas, como se fosse fettuccine
- 100 g de queijo roquefort, esfarelado
- amêndoas cruas ou torradas, inteiras, a gosto

Molho:

- ½ limão
- 1 colherinha de café de mostarda dijon
- 100 g de queijo roquefort, esfarelado
- 150 ml de azeite de oliva extravirgem
- sal e pimenta-do-reino moída na hora, a gosto

Serve 4 a 6 pessoas

Lave as folhas de rúcula com cuidado para não quebrá-las e seque-as com papel-toalha pelo mesmo motivo (é importante que fiquem secas). Misture com as tiras de cenoura (eu costumo cortar as tiras com aquele descascador de legumes, perfeito pra isso, elas saem uniformes e bem finas), as amêndoas e esfarele o roquefort em cima da salada.

Molho: Misture tudo delicadamente com um garfo. O azeite vai ficar encorpado e com uma cor amarelo-esverdeada viva. Jogue tudo então em cima da salada, misture bem e sirva imediatamente.

Salada de espinafre, ervilha e queijo feta

- 2 maços de espinafre fresco (só as folhas)
- 2 punhados pequenos de ervilhas frescas
- queijo feta, a gosto
- molho básico para salada (veja receita p. 90)

Serve 4 a 6 pessoas

Se você tiver a sorte de encontrar ervilhas incrivelmente fresquinhas, você precisará somente escaldá-las em água fervente com sal e deixá-las esfriar. Caso contrário, afervente-as em pouca água e sal por pouquíssimo tempo, apenas para amolecê-las. Escorra as ervilhas e deixe-as esfriar. Misture as folhas de espinafre lavadas e as ervilhas com o molho e acrescente, por último, o queijo feta esmigalhado por cima da salada. Perfeita!

Salada Carolina

- 2 pés de alface-americana, cortada em tiras
- 5 tomates grandes e bem maduros, com pele e sementes, cortados em cubos
- 200 g a 300 g de parmesão, ralado grosso
- 4 ovos cozidos, ralados na parte grossa do ralador
- molho básico para salada, com mostarda (veja receita p. 90)

Serve 4 a 6 pessoas

Misture tudo com molho de mostarda. Você não vai se arrepender. Essa salada é perfeita para acompanhar carnes. Sinto que ela é tão consistente, que muitas vezes opto por ela como uma refeição.

Salada de rúcula, espinafre, figo e bresaola

- 1 maço de rúcula
- 2 maços de espinafre (só as folhas)
- 6 a 8 figos maduros, cortados em cruz
- 150 g a 300 g de bresaola (como preferir)
- molho básico para salada, com mostarda (veja receita p. 90)

Serve 4 a 6 pessoas

Lave bem a rúcula e o espinafre e seque as folhas (a rúcula é melhor secar com papel-toalha). Numa saladeira, junte os figos e a bresaola, deixando um pouco de bresaola e figo pro final. Misture tudo com o molho de mostarda e, por cima, acrescente o restante do figo e da bresaola. Essa salada é surpreendente, pois a doçura do figo se equilibra com a acidez da rúcula e o espinafre e casa perfeitamente com o sal da bresaola. É uma salada delicada, de sabor muito sofisticado. Minha mãe fazia evidentemente à sua maneira, espremia meio limão e meia laranja no molho tradicional de salada. Pra quem quiser se aventurar, fica aí a dica, uma verdadeira delícia!

Salada de bacon frito

- 400 g de bacon, em cubinhos
- 2 maços de espinafre fresco (só as folhas)
- 100 g de tomatinhos-pera vermelhos, cortados ao meio
- 100 g de tomatinhos-pera amarelos, cortados ao meio
- 200 g de peito de peru defumado, cortado em tirinhas
- 100 g de gergelim torrado no forno

Molho:

- 2 a 3 gotas de molho inglês
- toda a gordura da fritura do bacon
- 4 colheres de sopa de azeite de oliva extravirgem
- sal e vinagre balsâmico, a gosto

Serve 4 a 6 pessoas

Numa frigideira, coloque todo o bacon, sem uma única gota de óleo, deixe toda a banha derreter. Ela mesma vai se encarregar de fritá-lo, e quando eu digo fritá-lo, preste atenção, quero ver esses pedacinhos de bacon ficarem pretinhos, pretinhos, crocantes, crocantes. Claro que não estou sugerindo que você os deixe queimar, mas coragem!, você saberá o ponto certo. Depois separe o bacon do óleo, você vai usar esse óleo como tempero na salada. Lave o espinafre, seque as folhas. Misture tudo numa vasilha, o espinafre, os tomatinhos, o peito de peru, o bacon crocante e o gergelim.

Molho: Numa tigelinha, misture a gordura, o azeite, o vinagre balsâmico (por favor, sinta-se à vontade para usá-lo, existem pessoas que amam o balsâmico, outras nem tanto, mas ele é fundamental para dar a consistência certa desse molho; por isso, se você é das que não gostam, vá acrescentando aos poucos até sentir que é suficiente). Acrescente o sal e o molho inglês. Bata tudo com o garfo e misture na salada. Essa salada vai muito bem acompanhada de pão. Costumo servi-la junto com um bom pão italiano que acabei de tirar do forno, cortado em fatias generosas. Umedecê-lo nesse molho delicioso fica uma maravilha.

Essa salada também vale como uma refeição. Não é uma salada para quem faz dieta, por isso, como estou falando de prazer, que tal um bom copo de vinho branco geladinho e *voilá*!

Salada de lula, pinoli e pimenta-dedo-de-moça

- **1 kg de lulas frescas e limpas**
- **60 g de pinoli torrados**
- **1 pé de rúcula frisée (é pouquinho mesmo)**
- **1 maço de hortelã (só as folhas e as pontinhas dos cabos com folhinhas)**
- **3 a 4 pimentas-dedo-de-moça, lavadas e sem sementes, cortadas em rodelas**
- **suco de 1 limão**
- **suco de ½ laranja**
- **azeite de oliva extravirgem, a gosto**
- **sal e pimenta-do-reino moída na hora, a gosto**

Serve 4 a 6 pessoas

Corte a lula em tiras generosas, separando os pezinhos. Borrife com azeite uma panela antiaderente e grelhe as lulas. Quando elas estiverem bem grelhadas e coradas, reserve-as. À parte, lave a rúcula, a hortelã, seque as folhas e também as pimentas. Quando a lula esfriar, misture tudo numa travessa rasa, acrescentando o molho de azeite, sal, pimenta, limão e laranja. É simples e muito saborosa.

Salada verde da casa

- 1 alface-americana média, cortada ao murro
- 1 punhado de folhas de funcho (erva-doce) frescas e verdes
- ½ pé de radicchio crocante, cortado em tiras finas
- 100 g a 150 g de castanhas-do-pará, levemente moídas no pilão
- molho básico para salada, com mostarda (veja receita p. 90)

Serve 4 a 6 pessoas

Misture as folhas, acrescente o molho, as castanhas e divirta-se. Levinha, saudável e consistente.

* É uma delícia cortar alface ao murro. Pegue um pé de alface-americana, coloque em uma superfície plana e, literalmente, dê murros até que o alface se desmanche em pedaços desiguais.

Salada de feijão branco com atum

- 300 g de feijão branco
- 3 latas de atum maciço, sem o óleo, picado grosseiramente
- 3 cebolas grandes, cortadas grosseiramente
- ½ copo de requeijão de vinagre de maçã
- bastante salsa picada
- 1 punhado de azeitonas pretas (ou chilenas), sem caroço
- molho básico para salada (veja receita p. 90)

Serve 4 a 6 pessoas

Deixe as cebolas marinando numa bacia com água e o vinagre por 1 hora. Enquanto isso, cozinhe o feijão, certifique-se de que ele esteja *al dente*, nem cru e nem muito cozido. Tire da panela, escorra toda a água e deixe esfriar. Misture o feijão e as cebolas já escorridas ao molho básico. Junte 2 latas de atum e as azeitonas pretas e deixe na geladeira entre 20 e 30 minutos para refrescar. Antes de levar à mesa, acrescente a última lata de atum e a salsinha.

Salada quente de lentilhas com vinagrete

Esta salada é incrível, muito nutritiva e rica em proteínas. Muito comum na França. Várias vezes me deliciei com essa salada nos bistrôs de Paris. Dê preferência às lentilhas pequenas, tipo puy, pois elas se mantêm intactas, se não der, use qualquer outra, menos as lentilhas vermelhas.

- **250 g de lentilha**
- **50 g de manteiga com sal**
- **2 cenouras grandes, cortadas em cubinhos**
- **1 cebola grande, cortada em cubinhos**
- **100 g de bacon, cortado em cubinhos**
- **300 ml de caldo de galinha feito em casa (veja receita p. 91)**
- **sal e pimenta-do-reino moída na hora, a gosto**
- **molho vinagrete**

Vinagrete:

- **30 g de sementes de mostarda**
- **2 colheres de chá de vinagre de vinho branco**
- **salsa fresca picada, a gosto**
- **100 ml de azeite de oliva extravirgem ou óleo de uva**
- **sal e pimenta-do-reino moída na hora, a gosto**

Serve 6 pessoas

Ponha as lentilhas para descansar em água fria de um dia pro outro, depois as escorra bem. Numa caçarola grande, derreta a manteiga, adicione a cebola, o bacon e as cenouras. Deixe tudo refogar até os legumes ficarem tenros, macios e dourados. Depois acrescente as lentilhas e o caldo de galinha. Misture bem, tampe e leve para cozinhar por uns 30 minutos ou até as lentilhas ficarem tenras. Escorra o líquido e transfira as lentilhas para uma tigela grande. Tempere à vontade com o sal e a pimenta. Acrescente o molho vinagrete, misturando aos poucos. Sirva imediatamente com as lentilhas ainda quentes.

Vinagrete: Junte a mostarda e o vinagre numa tigela e bata com um garfo para dar liga; depois acrescente o azeite e tempere com a salsa, o sal e a pimenta.

Salada de baby alcachofra, parmesão e alface-americana

Esta salada é extremamente delicada, tal qual a primeira flor da primavera. É importantíssimo que, ao fazê-la, você tenha em mente que ela deve ser consumida imediatamente. Por isso, prepare todos os ingredientes, deixando as alcachofras por último, pois elas escurecem muito rápido.

- 1 alface-americana grande e fresca, cortada ao murro (veja receita p. 48)
- 200 g e 300 g de queijo parmesão, cortado em lascas finas e irregulares
- 500 g de baby alcachofras
- molho básico para salada, com mostarda (veja receita p. 90)
- suco de limão

Serve 6 pessoas

Corte, lave e seque a alface. Prepare o parmesão. Só então limpe as alcachofras uma a uma. Você vai tirar as folhas externas, como se estivesse despindo-a até encontrar as folhas mais verdes. Com uma faca, você vai cortar as pontas superiores das folhas, só um pouquinho, e também os talos da alcachofra, cortando bem no bumbunzinho dela. Não se preocupe em tirar o bigode, pois a baby alcachofra tem os pelinhos macios e comestíveis. À medida que for cortando as alcachofras, deixe-as numa travessa com água e um pouco de limão, para que não escureçam. Quando estiverem todas prontas, tire uma a uma da água, cortando-as em tiras verticais. Agora misture tudo. Por último, logo antes de servir, misture o molho básico. Acredite: você vai me agradecer. Essa receita é definitivamente um dos presentes mais queridos que os amigos me ensinaram. Como rezando!

Salada de feijão rajadinho e cebola

Essa é uma salada tipicamente italiana. Comi a primeira vez em Lucca, muitos anos atrás, uma época boa da minha vida, quando passei dois meses na Toscana. O feijão ideal é o borlotte (tipicamente romano), parecido com nosso feijão bolinha, mas pode ser substituído pelo feijão rajadinho ou o roxinho.

- 500 g de feijão rajadinho ou roxinho
- 1 cebola grande, cortada ao meio
- 2 cebolas roxas, grandes, cortadas grosseiramente
- 1 cenoura grande, sem casca
- 2 a 3 folhas de louro
- 4 dentes de alho grandes e frescos, amassados
- 1 talo grande de aipo (salsão)
- 1 galhinho de sálvia
- ¼ de xícara de chá de vinagre de vinho tinto (por favor, de boa qualidade)
- azeite de oliva extravirgem, a gosto
- sal e pimenta-do-reino moída na hora, a gosto

Serve 4 a 6 pessoas

Lave o feijão normalmente, retirando as sujeiras e pedrinhas. Ponha-o numa tigela grande, junte água fervente e deixe descansar por 1 hora. Depois escorra o feijão e jogue a água fora. Numa panela grande acrescente a cebola, a cenoura, o aipo e a sálvia. Refogue tudo isso com um pouco de azeite. Adicione cerca de 2 litros de água e deixe ferver. Acrescente então o feijão e tampe, deixando cozinhar durante 30 minutos a 1 hora. Feijão mais novo cozinha mais rápido e feijão mais velho demora mais tempo. Ele deve estar macio, porém ainda durinho, nada de muito cozido, por favor. Enquanto isso, numa panela à parte, refogue a cebola roxa com uma quantidade generosa de azeite, apenas por 2 a 3 minutos, não mais que isso. Assim que o feijão estiver cozido, escorra a água e descarte e, ainda quente, misture as cebolas roxas refogadas. Acrescente mais azeite se achar necessário. Tempere com sal e pimenta.

Sirva o feijão quente ou em temperatura ambiente, sempre como acompanhamento a outras saladas. Eu prefiro sempre salada de folhas verdes, mas também fica uma delícia com uma boa e simples salada de tomates.

Salada de arroz

(Receita da minha mãe.)

- 400 g de arroz-agulhinha
- 2 maços de baby rúcula
- 4 tomates bem maduros, cortados em cubinhos
- 1 punhado de folhas de funcho (erva-doce), picadas
- 2 colheres de chá de vinagre branco
- cebola, alho e óleo
- azeite de oliva extravirgem, a gosto
- sal marinho (não refinado)
- pimenta-do-reino moída na hora, a gosto

Serve 4 a 6 pessoas

Refogue seu arroz normalmente com cebola, alho e óleo. Cozinhe-o de modo que ele fique bem soltinho. Depois que esfriar, passe para uma tigela e misture a rúcula, as folhas de funcho, o tomate, o vinagre, o azeite, o sal e a pimenta. Misture bem e ponha na geladeira por 1 hora. Sirva geladinha.

Essa salada fresquinha de verão é perfeita para acompanhar peixes.

Salada de tomate à la turca

Aprendi essa salada em vários restaurantes à beira-mar pela Turquia afora. É uma salada tão simples, tão simples, que é dificílima de fazer, mas é perfeita para acompanhar peixes e carnes.

- **1 kg de tomates bem vermelhos e maduros, com pele e sementes**
- **½ kg de cebolas roxas, cortadas em rodelas o mais fino possível**
- **1 pitada de dill fresco**
- **1 pitada de coentro (muito pouquinho mesmo, galera!)**
- **1 a 2 gotas de limão, se preferir**
- **sal e azeite de oliva extravirgem, a gosto**

Serve 4 a 6 pessoas

Corte os tomates em rodelas finas (não demais para que não se desmanchem). Misture com os demais ingredientes numa vasilha, e deixe marinar na geladeira (10 minutos são mais que suficientes). Essa salada é perfeita se servida fresquinha. Cuidado para não pôr sal demais, pois os tomates soltarão muita água; deixe que cada convidado, se sentir necessidade, acrescente mais sal à mesa.

Salada de nozes, queijo feta e endívias

- 100 g de nozes, quebradas grosseiramente
- 5 a 6 endívias frescas
- 2 colheres de sopa de vinho branco
- queijo feta, triturado à mão, a gosto
- azeite de oliva extravirgem, a gosto
- um pouco de sal marinho (não refinado)
- pimenta-do-reino moída na hora, a gosto

Serve 4 a 6 pessoas

Lave as endívias, seque as folhas, com cuidado, com papel-toalha e depois corte-as em tiras horizontais, acrescente as nozes e o feta. Misture isso tudo com o azeite, o vinho, a pimenta e o sal marinho. Minha mãe acrescentava a isso tomates-cerejas bem vermelhinhos. Sirva-se!

Salada de quinoa e abobrinha

- 1 xícara de quinoa bem lavadinha
- 1½ copo de água
- sal e pimenta-do-reino, a gosto
- 2 colheres de sopa de azeite extravirgem
- 1 abobrinha média cortada em rodelas fininhas (cerca de 2 xícaras)
- 4 dentes de alhos cortados em fatias bem fininhas
- 3 cebolinhas bem picadinhas
- ¼ de xícaras de pistache salgados picados grosseiramente
- ½ xícara de menta fresca picada grosseiramente e um pouco mais para decoração

Serve 4 a 6 pessoas

Coloque a quinoa em uma panela com água fervendo e uma pitada de sal e cozinhe por cerca de 10 a 12 minutos, depois escorra a água e deixe esfriar. Em uma frigideira média coloque 1 pitada de azeite e a abobrinha. Mexa delicadamente e deixe dourar, o que leva entre 5 a 7 minutos. Acrescente o alho e deixe refogar até que esteja levemente corado, cerca de 1 minuto, mas não doure demais. É importante que nem o alho e nem a abobrinha queimem. Acrescente o sal, a pimenta e a quinoa já fria. Por último acrescente os pistaches, o suco de limão e a menta. Se quiser acrescente um pouco mais de sal e pimenta. Sirva imediatamente.

Salada de frango, espinafre e milho verde

Essa salada é uma delícia e bastante consistente, sempre sirvo nos churrascos aqui em casa, fica uma delícia com batatas assadas.

- 400 g de filé de frango
- 2 maços grandes de espinafre fresco
- 2 milhos verdes cozidos sem a espiga, (pode usar milho em lata também, meia lata é suficiente)

Molho:

- sal
- pimenta
- azeite
- limão
- mostarda americana (a amarela)

Serve 4 a 6 pessoas

Corte os filés de frango em pedaços irregulares e grandes, tempere-os à parte com sal, pimenta e limão. Deixe-os marinando por uns 30 minutos para absorver o gostinho do sal e do limão. Depois, em uma frigideira bem quente, refogue o frango até que fique bem dourado. Eu faço esse refogado só com água e o restante do próprio tempero do frango, sem óleo ou azeite. Acho que a salada fica mais leve assim, mas tem que ficar ligada, mexendo sempre e acrescentando gotinhas de água (e o tempero restante, aos poucos) para que fique corado e macio, se não seu frango pode ressecar e não queremos isso. Deixe esfriar.

Enquanto isso, separe somente as folhas do espinafre, lave bem e seque. Quando o frango estiver na temperatura ambiente misture em uma travessa funda o espinafre com o frango e o milho. Acrescente o tempero a gosto e misture bem para que o tempero fique bem distribuído. Minha mãe usa um pouquinho de tomilho fresco e fica ótimo, mas como nem todo mundo gosta de tomilho, fica a seu critério.

sopas

Eu adoro sopas! Sei, honestamente, que num país tropical como o Brasil, sopas não são os pratos mais populares, mas eu sou fã confessa. Pra mim, sopa tem a ver com amor, carinho, remedinho antitristeza, daqueles que vêm quentinhos, esquentando todo o corpo da gente de dentro pra fora. É saudável, é leve, pouca coisa é melhor para arrematar um dia de trabalho que uma sopinha quentinha e uma caminha macia. Por isso, então, resolvi fazer um capítulo só de sopas, quero afinal dar um destaque especial às minhas amigas, um tanto quanto esquecidas.

Sopa de brócolis e couve-flor à la Carolina Ferraz

Esta sopa, confesso, copiei da querida Clô Orosco, pra quem não sabe, cozinheira sofisticadíssima. Nunca provei a sopa pessoalmente, mas através de amigos em comum sempre escutei elogios incríveis à famosa sopa. Tratei então de fazer a minha versão. Acho que o resultado ficou bastante honesto. Meus amigos gostaram.

Sopa verde:
- 3 brócolis americanos
- 300 g de bacon, cortados em cubinhos
- 300 ml de caldo de carne (veja receita p. 93)
- 2 talos de salsão (aipo) fresco
- sal e pimenta-do-reino moída na hora, a gosto

Sopa branca:
- 2 pés de couve-flor
- 2 garrafas de leite de coco
- 200 g de gengibre, moídos no liquidificador ou processador
- 2 talos de salsão fresco
- 2 colheres de sopa de azeite de oliva extravirgem
- sal e pimenta-do-reino moída na hora, a gosto

Serve 4 a 6 pessoas

Cozinhe a couve-flor e os brócolis separadamente, escorra e espere esfriar. Em um liquidificador ou processador, bata a couve-flor e depois, separadamente, também os brócolis. Pegue 2 caçarolas grandes, lado a lado no fogão, pois você fará as sopas simultaneamente. Em uma delas, jogue o bacon, espere que toda a gordura esteja derretida e eles bem corados e crocantes, bem escurinhos mesmo. Separe o bacon do óleo e em um pilão macere o bacon de maneira irregular. Pegue 2 talos de salsão grandes para cada sopa e bata só a parte branca e verde-clara no processador.

Para a sopa branca, refogue o aipo com um pouco de azeite. Acrescente a couve-flor e o gengibre moído aos poucos. Não se esqueça de que o gengibre é um alimento picante e vai aí o gosto pessoal de cada um (eu gosto de muito gengibre, mas você faça como preferir). Por último, acrescente o leite de coco, o sal e a pimenta-do-reino. Na outra panela, refogue o aipo no óleo do bacon. Acrescente o brócolis, o caldo de carne e vá acrescentando o bacon macerado no pilão aos poucos. Acrescente sal e pimenta-do-reino. ➔

Estas duas sopas ficam bem consistentes, como um creme ou um purê líquido, digamos assim. Me disseram que a Clô serve as duas no mesmo bowl. Ela coloca simultaneamente a branca e a verde, cada uma de um lado, deixando um aspecto lindo. Você pode derramar uma pitada de azeite e acrescentar umas folhinhas de funcho picado a isso e o sabor das duas conjuntamente é uma maravilha. É um prato simples e sofisticado. Já eu também gosto de servir como aperitivo. Tenho em casa vários daqueles copinhos de boteco e sempre passo as sopas, misturando os copos na bandeja. Fica bonito e perfumado. É simples e todo mundo adora.

Sopa indiana picante

- 1 galinha inteira, cortada em pedaços
- 8 xícaras de chá de água
- 2 cebolas médias, cortadas grosseiramente
- 8 dentes de alho médios, esmagados
- ½ xícara de chá de gengibre seco, cortado grosseiramente
- 1½ colher de chá de sementes de coentro
- 1 colher de chá de sementes de cominho
- 1 colher de chá de sementes de mostarda (marrom ou branca)
- 6 tomates de lata, sem pele, cortados em pedaços pequenos
- 1 chilli Serrano, delicadamente fatiado (se não encontrar, use 2 pimentas-de-do-de-moça delicadamente fatiadas e sem as sementes)
- 2 colheres de chá de azeite de oliva extravirgem
- sal, a gosto

Serve 4 a 6 pessoas

Coloque a galinha e a água numa panela grande com sal e deixe ferver. Acrescente a cebola, o alho e o gengibre e depois reduza o fogo. Tampe parcialmente a panela e deixe cozinhar por 30 minutos. Remova o peito da galinha e reserve. Mantenha parcialmente tampado no fogo por mais 30 minutos. Passe a sopa toda por uma peneira, descarte tudo o que for sólido e espere a galinha esfriar um pouco. Tire a carne dos ossos e pique. Aqueça o azeite de oliva em fogo médio e refogue as especiarias: mostarda, cominho, coentro e pimenta por volta de 1 minuto ou 2. Acrescente os tomates e cozinhe por mais 4 a 5 minutos ou até a água evaporar. Misture o caldo reservado e deixe tudo cozinhar por mais 5 minutos. Tempere com sal e acrescente, por último, os pedaços de galinha. Bem quentinha essa sopa, por natureza!

Sopa de galinha básica

Cada um tem a sua maneira e a sua versão. Esta é a minha.

- 1 galinha inteira, cortada em pedaços, incluindo a parte escura (se quiser menos gordura é só remover a pele antes de cozinhar)
- 8 xícaras de chá de água
- 3 cebolas médias, cortadas delicadamente em rodelas finas
- 2 talos de aipo (salsão), cortados na transversal em várias tiras (elimine os fiapos)
- 4 dentes de alho médios, esmagados
- 6 cenouras médias, cortadas também na transversal
- sal, a gosto

Serve 6 pessoas

Coloque a água, a galinha e algumas pitadas de sal numa panela grande. Espere ferver. Depois acrescente as cebolas, o aipo e o alho. Diminua o fogo. Tampe parcialmente a panela e deixe cozinhar por mais ou menos 30 minutos. Tire o peito da galinha e reserve. Acrescente as cenouras. Deixe tudo cozinhar por mais 40 minutos. Retire o resto da galinha, descarte as coxas e as asas. Espere a galinha esfriar um pouco, remova a carne dos ossos (inclusive do peito) e corte-a em pedaços irregulares. Escolha a quantidade de galinha que quer acrescentar à sopa e guarde o resto para algum outro prato que queira fazer. Tempere com sal a gosto e se delicie!

Sopa de abóbora e sementes picantes

- 2 colheres de sopa de manteiga com sal
- 1 cebola pequena, picada
- 60 g de gengibre picado, sem pele
- 2 dentes de alho médios, picados
- 1½ kg de moranga, sem pele e sem sementes, cortada grosseiramente em cubos
- ¼ de xícara de chá de suco de laranja fresco
- 4 xícaras de chá de água
- sementes picantes (ver receita a seguir)
- sal e pimenta-do-reino moída na hora, a gosto

Sementes picantes:

- As sementes que você retirou da moranga (se for uma moranga média dará mais ou menos uma xícara)
- 1 colher de chá de chilli, em pó
- ½ colher de chá de pimenta-caiena
- ½ colher de chá de sal marinho
- 2 colheres de chá de suco de limão

Serve 4 a 6 pessoas

Derreta a manteiga numa caçarola grande sobre fogo médio. Cozinhe a cebola por mais ou menos 2 minutos. Acrescente o gengibre, o alho e a abóbora. Cozinhe tudo mexendo ocasionalmente por uns 8 minutos. Acrescente a água, deixe ferver e reduza o fogo. Cozinhe até a moranga ficar macia, isso deve demorar uns 20 minutos.

Bata a sopa, acrescente o suco de laranja, o sal e a pimenta. Sirva quente com as sementes picantes por cima. Essa sopa é deliciosa para dias frios.

Sementes picantes: Preaqueça o forno a 250° C. Numa assadeira média, combine todos os ingredientes e asse por cerca de 10 minutos, sacudindo a assadeira de vez em quando. Eles ficarão corados e sequinhos. Essas sementes também são perfeitas para saladas. Às vezes, as preparo em casa e armazeno. Sempre encontro uma maneira legal de aproveitá-las.

Sopa de abobrinha ao curry

- 1 cebola média, picada
- 2 dentes de alho médios, triturados
- 2 colheres de chá de curry, em pó
- 700 g de abobrinha (3 abobrinhas médias cortadas grosseiramente)
- 1 batata grande, assada, sem pele e cortada grosseiramente
- 4 xícaras de chá de água
- 1 colher de sopa de azeite de oliva extravirgem
- sal marinho, a gosto
- 1 punhado de castanha-do-pará, triturada no pilão (para decorar)

Serve 6 pessoas

Aqueça o azeite numa caçarola grande sobre fogo médio. Acrescente as cebolas, o sal e deixe cozinhar, mexendo ocasionalmente até que as cebolas fiquem bem macias (não as deixe escurecer), por volta de 4 a 5 minutos. Acrescente o alho e o curry em pó e deixe refogar mexendo constantemente. Acrescente a abobrinha, a batata e a água. Deixe tudo ferver e diminua o fogo. Cozinhe por 10 a 15 minutos, ou até que os vegetais fiquem macios na panela. Bata a sopa no processador até que ela fique bem macia. Sirva imediatamente. Decore com um pouco de castanha-do-pará jogada displicentemente por cima. (Detalhe, amigos: esta sopa também é deliciosa gelada!)

Creme de aspargos

- 3 colheres de sopa de manteiga com sal
- 1½ kg chalotas, cortadas fininhas
- 1 xícara de chá de tomilho seco
- 1½ kg de aspargos, cortados grosseiramente
- 6 xícaras de chá de água
- ⅓ de xícara de chá de creme de leite
- 2 ou 3 colheres de sopa de suco de limão
- 1 punhado de pimenta-rosa moída
- sal marinho, a gosto

Serve 4 a 6 pessoas

Numa caçarola grande, derreta a manteiga em fogo brando. Acrescente as chalotas e o tomilho e refogue até as chalotas ficarem macias, cerca de 5 minutos. Acrescente os aspargos cozidos à parte (para que fiquem mais verdinhos), a água e o sal marinho generosamente. Tampe a panela e deixe ferver. Reduza o fogo e deixe cozinhar até que os aspargos fiquem verde-claro e bastante macios, cerca de 4 ou 5 minutos. No processador, bata a sopa, transformando-a numa mistura cremosa. Se você for servir imediatamente, acrescente o creme de leite, o suco de limão e a pimenta-rosa. Divirta-se!

Sopa de cenoura

- 2 colheres de sopa de manteiga com sal
- 1 xícara de chá de cebolas, cortadas grosseiramente
- 1 colher de chá de curry, em pó
- 400 ml de caldo de galinha feito em casa (veja receita p. 91)
- 2 xícaras de chá de água
- 1½ kg de cenouras, sem casca, cortadas grosseiramente
- 1 ou 2 colheres de sopa de suco de limão
- sal marinho e pimenta-do-reino moída na hora, a gosto
- 1 punhado de salsa picadinha (para decorar)

Serve 4 a 6 pessoas

Numa caçarola grande, derreta a manteiga em fogo brando. Acrescente as cebolas, o curry, algumas pitadas de sal marinho e a pimenta-do-reino. Refogue tudo mexendo até que as cebolas fiquem macias, cerca de 5 minutos. Acrescente o caldo de galinha, as cenouras e a água. Deixe ferver, reduza o fogo e tampe, deixando tudo cozinhar por cerca de 20 minutos. Num processador bata a sopa até transformá-la num purê macio. (Cuidado! Líquidos quentes, quando colocados no processador, sempre espirram, por isso tenha o cuidado de colocar aos poucos, para você não se queimar.) Se achar muito consistente, pode acrescentar mais água à mistura. Reaqueça se necessário. Por fim, acrescente o suco de limão e jogue um pouco de salsa picada por cima.

Papa al pomodoro

- 4 alhos-porós
- 800 g de tomates frescos ou 800 g de tomates em lata importados da Itália e escorridos
- ½ colher de chá de lascas de pimenta vermelha
- ½ kg de pão italiano com casca, adormecido há alguns dias
- 3 xícaras de chá de caldo de carne feito em casa (veja receita p. 93)
- ½ xícara de chá de azeite de oliva extravirgem
- sal e pimenta-do-reino moída na hora, a gosto

Serve 6 pessoas

Limpe os alhos-porós cortando as folhas verdes das raízes e jogando-as fora. Aproveite apenas a parte branca. Corte-os em rodelas e coloque numa tigela de água fria deixando de molho por 30 minutos. Escorra-os e enxague em água corrente. Esquente o azeite em uma panela em fogo médio e adicione os alhos-porós. Refogue por cerca de 15 minutos, mexendo sempre. Enquanto isso passe os tomates na centrífuga e adicione-os ao alho-poró. Acrescente o sal, a pimenta-do-reino e a pimenta-vermelha. Deixe ferver por cerca de 30 minutos com a panela tampada. Corte o pão em pedaços pequenos e junte-os à panela. Mexa-os muito bem e deixe por 5 minutos. Por último acrescente o caldo de carne. Torne a mexer e retire a panela do fogo. Deixe-a descansar tampada por 1 hora. Na hora de servir, prove para saber se está boa de sal e pimenta. Pode servi-la em temperatura ambiente ou reaquecê-la. Se preferir, pode acrescentar uma folhinha de manjericão e uma pitada de azeite por cima. Essa é uma daquelas receitas que encontramos em qualquer restaurante italiano. Basta pedir *papa al pomodoro con porri* e lá vem essa deliciosa sopa de alho-poró com tomates. Nada light por sinal, devido à quantidade de pão e azeite que vai, mas nem por isso menos saborosa e irresistível.

Sopa turca de arroz com carneiro

- 2 litros de água + 1½ xícara de água
- 1½ kg de pernil de carneiro desossado
- 3 cenouras médias cortadas em rodelas grosseiras
- 2 cebolas médias cortadas em cruz
- 2 folhas de louro seco
- 6 dentes de alhos esmagados (basta 1 ou 2 murrinhos)
- 1 xícara de chá de pimenta preta em grãos
- 2 xícaras de arroz tipo carnaroli ou arborio
- sal e pimenta-do-reino fresca a gosto
- pimenta dedo-de-moça ou biquinho cortada em tirinhas ou a gosto (eu coloco cerca de 6 a 8 pimentas biquinho cortadinhas)
- suco de um limão
- azeite extravirgem a gosto

Serve 8 pessoas

Colocar em uma panela grande a carne de carneiro com dois litros de água, as cenouras, as cebolas, o louro, o alho, as pimentas em grão e deixe cozinhar retirando com uma colher a gordura que aparecer no topo da panela por cerca de 2h30, até que a carne fique bem macia.

Transfira o carneiro para um prato e deixe esfriar o suficiente para manipulá-lo com as mãos, desfie a carne em pedaços grosseiros e descarte a gordura que encontrar eventualmente. Coe o caldo numa peneira bem fina para que a gordura restante fique presa nela. Descarte os sólidos. Em uma panela acrescente duas xícaras do caldo com o restante da água (uma xícara e meia). Acrescente o arroz e deixe cozinhar, acrescentando um pouco de sal e pimenta em fogo médio. Quando a água ferver, reduza para fogo baixo mexendo gentilmente, depois tampe e deixe o arroz absorver o caldo por cerca de 15 minutos. Em outra panela, coloque o restante do caldo, acrescente o carneiro e cozinhe até que esteja bem quente. Misture imediatamente o carneiro com o arroz, acrescente agora o limão e a pimenta picadinha. Sirva imediatamente. É um prato picante e bem consistente. Fica ainda mais gostoso se acompanhado de um pão bem quentinho.

Rosbife crunchy, com pimenta e sal grosso (receita na p. 189)

pratos principais

Sempre gostei de carnes e frutos do mar, não saberia viver sem eles. Com todo respeito aos que não gostam tanto, mas pra mim uma boa carne ou peixe é sempre uma desculpa para repetir um prato!

Pernil de vitela assado com mel, limão e batatas coradas

Esta carne é uma das minhas preferidas. É um prato muito simples de fazer, embora um pouquinho demorado, mas eu prometo, se fizer direitinho, muito provavelmente este pernil de vitela vai passar a frequentar muito a sua casa.

- 1 pernil de vitela bem fresco (entre 1½ kg e 2 kg)
- 1 ramo bem generoso de alecrim fresco, cortado e picado
- 4 a 5 limões
- 4 a 6 colheres de sopa de mel
- 1 kg de batatas inglesas, com casca e cortadas em tiras finas
- 1 garrafa de vinho branco seco
- 4 a 6 dentes de alho médios, esmagados
- azeite de oliva extravirgem, a gosto
- sal e pimenta-do-reino moída na hora, a gosto

Serve 6 pessoas

Deixe a vitela marinando numa bacia com o vinho, o alho e o suco de 1 limão. Faça isso de manhã, se for prepará-la para o almoço, ou à tarde, se for prepará-la pro jantar. É importante que fique aí por umas 3 horas. De vez em quando, mude o pernil de lado, para que ele todo possa marinar por igual. Numa assadeira bem grande, coloque o pernil, tempere com sal, pimenta e metade do alecrim, bastante azeite e o suco de 2 limões. Em volta do pernil, na assadeira, acomode as batatas. Também as tempere com sal, pimenta-do-reino a gosto e o restante do alecrim. Regue-as generosamente com azeite, o suco de mais 1 ou 2 limões e esparrame pela carne e pelas batatas todo o mel. Cubra com papel-alumínio e leve ao forno preaquecido a 180° C.

Nesta primeira etapa, a vitela ficará no forno por cerca de 50 minutos a 1 hora. Nesse período você deve, no mínimo, levantar o papel-alumínio e com uma colher regar generosamente a vitela e as batatas. Regue tudo generosamente mesmo! Repita essa operação pelo menos 4 vezes. Retire o papel-alumínio. Este momento é fundamental para o sucesso do nosso prato: é a hora de você provar o caldo; e se certificar de que ele está a seu gosto. É a hora de acrescentar mais sal, ou limão, mais pimenta ou azeite ou mel, seja lá o que você sentir necessidade. Deixe no forno por mais uns 25 minutos, regando sempre. Depois, com a ajuda de um pano de cozinha e um garfo de carne, cuidadosamente, vire o seu pernil de lado e deixe no forno o tempo suficiente pra que a carne fique bem corada. Se você fizer direito e repetir a operação de regar sempre a carne e as batatas, o resultado final é uma carne extremamente macia e úmida, e as batatas coradíssimas e completamente impregnadas no molho de azeite, limão e mel. Corte então em fatias bem finas com uma faca afiada, sirva numa travessa grande a vitela e as batatas. Rapidamente aqueça essa assadeira no fogão mesmo e com uma colher de pau, vá mexendo o fundo da assadeira pra que todo molho impregnado no fundo dela se solte. Se necessário, acrescente um pouco de água. Sirva numa vasilha à parte. Assim cada um se serve com a quantidade que preferir.

Carne de panela

Esta é uma receita bem caseira e saborosíssima, extremamente consistente. Por favor, só faça quando realmente estiver com fome.

- 2 kg de carne (alcatra ou maminha), cortados em cubos irregulares
- 2 cenouras, picadas
- 1 cebola grande, picada
- 2 colheres de sopa de extrato de tomate
- 1 garrafa de vinho branco seco
- 500 ml de caldo de carne feito em casa (veja receita p. 93)
- 3 dentes de alho, picados
- 200 g de bacon, cortado em cubinhos
- 4 batatas inglesas, cortadas em pedaços grandes
- 3 cebolas vermelhas, grandes, cortadas em cruz na vertical
- 1 ramo bastante generoso de salsinha fresca, picada
- 3 tomates frescos e grandes, cortados em pedaços, sem as sementes
- 80 g de azeitonas pretas (ou chilenas), sem caroço
- 3 talos de salsão (aipo), cortados em pedaços finos
- 2 folhas de louro
- 2 colheres de sopa de azeite de oliva extravirgem
- sal e pimenta-do-reino moída na hora, a gosto

Serve 4 a 6 pessoas

Numa caçarola de fundo grosso, com 2 colheres de azeite, frite o bacon de modo a deixá-lo bem sequinho. Retire o bacon da panela (o que nos interessa é a gordura), adicione a cebola e o alho e deixe refogar por 2 ou 3 minutos. Na mesma gordura, frite os pedaços de carne até que fiquem bem corados, então acrescente a cenoura, a cebola vermelha, as batatas, as azeitonas, o aipo, o louro e as 2 colheres do extrato de tomate e os tomates. Deixe tudo refogar por cerca de 4 ou 5 minutos. Acrescente o vinho branco e deixe ferver por cerca de 3 ou 4 minutos, misturando bem. Só agora acrescente o caldo de carne feito em casa. Tampe e deixe tudo cozinhar em fogo brando por cerca de 1 hora. Neste momento você deverá espetar a carne e ela deve estar bem macia, então destampe a panela e deixe o caldo reduzir praticamente até a metade.

Maminha à Raimunda (assada com manteiga de 21 ervas)

Raimunda* foi minha cozinheira e um dia resolveu usar todos os temperos e ervas da prateleira nessa carne, que ficou uma delícia e se tornou sua especialidade. Abusada, a Raimunda! Ousadia não lhe faltou. Honestamente achei que não ia gostar, mas essa carne é muito saborosa e fica supermacia por dentro, além de ser muito fácil de fazer!

- 1 maminha limpa e fresca (entre 1½ kg e 2 kg)
- 2 a 3 gotas de molho inglês
- 1 cebola pequena, passada no processador (depois escorrida, sem a água)
- 2 dentes de alho grandes, moídos no pilão
- 1 tablete de manteiga sem sal, em temperatura ambiente
- azeite de oliva extravirgem, a gosto
- sal e pimenta-do-reino moída na hora, a gosto

Temperos

(1 colher de chá de cada um deles, todos secos):

(1) alecrim
(2) sálvia
(3) erva-doce
(4) camomila
(5) tomilho
(6) orégano
(7) páprica doce
(8) páprica picante
(9) chilli em pó
(10) pimenta-calabresa
(11) alho seco
(12) estragão
(13) noz-moscada
(14) mostarda em pó
(15) gengibre em pó
(16) hortelã
(17) manjericão
(18) manjerona
(19) pimenta-do-reino preta, moída
(20) pimenta-do-reino branca, moída
(21) ervas da Provença

Pra você não se perder nos temperos, faça uma marquinha a lápis naquele que você for acrescentando. Se você não tiver todos eles em casa, num mercado ou numa boa barraca de temperos na feira, peça ao vendedor para colocar a quantidade certa dentro de um mesmo saquinho. Leve o livro, claro, ou faça uma cópia desta lista...)

Serve 6 pessoas

Tempere a maminha limpa com o molho inglês, o sal, a pimenta-do-reino, a cebola e o alho. Descanse a carne neste tempero por uns 20 minutos. Numa caçarola de fundo grosso, bem quente, refogue a carne ainda com o tempero e com um pouco de azeite até que ela fique bem corada de todos os lados (é fundamental que a panela esteja realmente quente, pois a maminha precisa corar rapidamente de modo que permaneça praticamente crua por dentro). Desligue o fogo.

Pegue o tablete de manteiga em temperatura ambiente e, com um garfo, faça uma pasta com todas as ervas juntas. Depois, coloque a maminha no centro de uma assadeira e cubra a parte superior da carne com essa manteiga de ervas. Leve ao forno preaquecido, bem quente, por cerca de 20 a 30 minutos. A manteiga irá derreter, será absorvida pela carne e ficará com um perfume incrível. É perfeita para comer com batatas assadas.

** Nós, em casa, fazemos a carne assim mesmo. E acredite, fica boa! Mas minha revisora ficou assustada. O comentário dela foi o seguinte: "Dúvida: não seria 1 colher de chá rasa de cada tempero? Como o chilli, a pimenta-calabresa, a mostarda, a páprica picante... Não é demais picante para cerca de 2 kg de carne? Estou imaginando então 1 colher de chá de noz-moscada?!?! Esta não seria algumas pitadinhas? Ou ½ colherinha de café?". Se você, como ela, ficar com medo que a carne fique picante demais, sinta-se à vontade para diminuir os temperos.*

Filé mignon ao molho de azeitonas pretas

- **4 medalhões de filé mignon (250 g cada)**
- **150 g de azeitonas pretas (ou chilenas), sem caroço**
- **¼ de xícara de chá de caldo de carne feito em casa (veja receita p. 93)**
- **2 dentes de alho médios**
- **4 colheres de sopa de manteiga**
- **4 colheres de sopa de azeite de oliva extravirgem**
- **sal e pimenta-do-reino moída na hora, a gosto**

Serve 4 pessoas

Num liquidificador bata o azeite, as azeitonas, os dentes de alho, o caldo de carne, sal e pimenta, até que vire um purê. Reserve. Numa frigideira, bem quente, derreta 3 colheres da manteiga e frite os filés já temperados com sal e pimenta. Certifique-se de que eles estejam corados dos dois lados (de 3 a 5 minutos se preferir a carne mal passada, se gostar dela mais bem passada acrescente uns 2 minutinhos de cada lado).

Sirva os filés em pratos individuais e jogue por cima o molho aquecido em uma frigideira à parte com uma colher da manteiga, se necessário (normalmente é!).

Filé grelhado com alecrim

Este filé é rápido, fácil e combina com praticamente tudo: arroz branco, massa, batatas cozidas ou assadas, saladas etc.

- 4 bifes de filé mignon (250 g cada)
- 1 punhado de ramos de alecrim fresco, picados
- azeite de oliva extravirgem, a gosto
- sal marinho e pimenta-do-reino moída na hora, a gosto

Manteiga de gengibre e menta:

- ½ tablete de manteiga sem sal
- 100 g de gengibre fresco, descascado e ralado grosso
- 2 maços de menta (ou hortelã), picados (só as folhas)
- sal e pimenta-do-reino moída na hora, a gosto
- algumas gotas de limão

Serve 4 pessoas

Numa superfície plana, polvilhe o alecrim fresco com o sal marinho e a pimenta. Pegue cada filé, borrife com azeite de oliva e então, gentilmente, coloque-o na superfície plana para que o alecrim e os outros temperos fiquem colados à superfície dos dois lados dos filés. Leve ao fogo uma frigideira de grelhar e quando estiver pelando, é hora de colocar a carne temperada. Cuidado, o ideal é virar o bife de lado apenas uma vez. Deixe que ele fique bem corado de um lado para só então mudar para o outro lado. Este prato é simples e rápido de fazer, como você pode ver. Minha mãe gostava de servi-lo acompanhado de uma manteiga de gengibre e menta. Dá um toque todo especial e também é facílima de fazer.

Manteiga de gengibre e menta: Aqueça todos os ingredientes numa caçarola para que a manteiga derreta e o gengibre fique cozido e macio. Passe tudo então pelo processador. O resultado é um creme espesso e muito aromático. Sirva numa molheira à parte. Cada um se serve da quantidade que preferir. Fica aí a sugestão.

Fricassê de galinha com mostarda e alho-poró

- **1½ kg de carne de frango (sobrecoxa, coxas e peito lavado com limão e vinagre)**
- **50 ml de azeite de oliva**
- **1 cebola picada grosseiramente**
- **2 dentes de alho picados**
- **100 ml de conhaque**
- **1½ litro de creme de leite fresco**
- **50 g de mostarda americana ou dijon**
- **50 gramas de manteiga**
- **tomilho e alecrim frescos a gosto**
- **sal e pimenta-do-reino a gosto**

Para o alho-poró:

- **3 caules de alho-poró, parte branca, cortados em rodelas**
- **2 colheres de sopa de manteiga**
- **sal e pimenta-do-reino, a gosto**

Tempere os pedaços de frango com sal, pimenta, tomilho e alecrim em uma panela grande ou frigideira, aqueça o azeite e refogue os pedaços de frango até que estejam corados (cerca de 15 minutos). Retire e reserve. Na mesma panela coloque a cebola e o alho e refogue (cerca de 5 minutos). Acrescente novamente os pedaços de frango, refogue por mais 2 minutos e coloque o conhaque. Mexa bem para que o álcool evapore. Acrescente agora o creme de leite e a mostarda em fogo médio e deixe reduzir por cerca de 25 minutos até que o caldo ganhe uma certa consistência. Retire os pedaços de frango novamente e reserve-os aquecidos. Se precisar acrescente mais sal e pimenta ao molho. Agora coloque o molho no liquidificador e bata bem para que fique bem cremoso. Acrescente a manteiga. Em uma panela à parte refogue o alho-poró com as duas colheres de sopa de manteiga até que fique macio. Acrescente sal e pimenta a gosto. Depois, misture a galinha com molho e alho-poró. Seu fricassê está pronto. É um prato quente perfeito para um dia de inverno.

Minha mãe viu essa receita numa revista há muitos anos. Sempre que ela faz é um sucesso absoluto.

Bacalhau tradicional

- 4 tomates bem maduros sem pele e cortado em rodelas
- 4 batatas médias/grandes, sem casca, cozidas e cortada em rodelas
- 1 pimentão verde cortado em rodelas, sem sementes (lave bem!)
- 1 pimentão amarelo, cortado em rodelas, sem sementes (lave bem!)
- 1 pimentão vermelho cortado em rodelas, sem sementes (lave bem!)
- punhado de cheiro verde picado
- azeite de oliva extravirgem a gosto
- 8 dentes de alho inteiros e sem casca
- sal e pimenta-do-reino a gosto
- 1½ kg de bacalhau de boa qualidade

Coloque o bacalhau em pedaços dentro de uma bacia de água com 1 litro de leite. Deixe durante dois dias e troque a água três vezes ao dia. Sempre acrescente água pura e mais um pouco de leite para o seu bacalhau ficar bem macio e sem sal. Depois em uma travessa que vá ao forno, comece a montar seu bacalhau. Coloque uma camada de tomates com pedaços de bacalhau, batatas, alho, azeitonas e pimentão, (verde, amarelo ou vermelho). Repita a operação até encher a travessa, sempre regando com azeite de oliva extra-virgem. Coloque no forno preaquecido (180°), tampado com alumínio por 30 minutos. Depois destampe e deixe corar por mais uns 20 ou 30 minutos.

Camarão com pimentas verdes

Molho:
- 1 tablete de manteiga com sal
- 1 creme de leite fresco de 350 g
- 1 punhado de pimentas verdes em grãos
- 1 xícara de vinho branco.

Camarão:
- 1 kg de camarões médios limpos

Molho: Em uma panela funda derreta 2/3 da manteiga. Depois de derretida acrescente o vinho e deixe evaporar por uns 2 minutos, então acrescente o creme de leite e as pimentas. Reserve, seu molho esta pronto!

Camarão: Em uma frigideira grande, derreta o restante da manteiga, em fogo alto, e acrescente os camarões todos de uma só vez. Essa é a parte mais delicada! Marque o tempo de cozimento dos camarões; 3 a 4 minutos no total! Se cozinharem demais vão ficar duros. Depois misture os camarões ao molho e sirva bem quentinho, o prato fica ótimo com arroz branco!

Linguado na caçarola à provençal

- 4 filés de linguado, de 250 g cada
- suco de limão
- sal
- 1 pitada de pimenta-do-reino fresca
- 2 colheres de sopa azeite de oliva extravirgem
- 2 cebolas picadas grosseiramente
- 4 dentes de alho cortado em tiras
- 1 abobrinha pequena cortada em rodelas fininhas (duas xícaras)
- 4 tomates médios bem vermelhos picados em rodelas com a semente
- 2 colheres de chá de tomilho fresco

Preaqueça o forno a 380°C. Coloque o filé do peixe numa travessa refratária (eu aqui em casa preparo em uma caçarola de ferro, dessas que também vão ao forno. É prático porque além de já ter tampa posso servir direto na mesa). Coloque o limão por cima e deixe no refrigerador 30 minutos pra marinar. Se preferir pode acrescentar o sal e a pimenta. Numa frigideira, coloque uma colher de azeite de oliva, acrescente as cebolas até que fiquem douradas (cerca de 10 minutos), acrescente o alho, cozinhe por 3 minutos e retire do fogo. Adicione metade da abobrinha, os tomates e o tomilho. Acrescente o azeite de oliva mais uma pitada de sal e pimenta-do-reino fresca. Misture o filé de linguado com o restante da abobrinha, e tudo o que estava na frigideira. Coloque no forno, que já estará bem quente, por 10 minutos com a travessa tampada. Depois tire a cobertura da travessa que pode ser papel-alumínio ou a própria tampa da travessa refratária. Muitas já vêm com tampa. Prove e veja se precisa acrescentar mais alguma coisa. Às vezes coloco meia xícara de vinho branco, suco de meio limão... enfim, isso varia e depende do gosto pessoal de casa um. Ao provar o prato, descubra o que está faltando e acrescente você mesma. Talvez não precise acrescentar nada e tudo bem. O que vale no final é você estar feliz. Agora deixe no forno por cerca de 15 minutos, sem a tampa para que termine o cozimento do peixe e pronto. Já pode servir.

Espaguete com camarões e alcachofra

- 1 caixa de espaguete nacional ou importado
- 6 alcachofras cozidas
- 600 gramas de camarões médios, frescos e limpos
- suco de um ou dois limões
- casca ralada de um limão siciliano
- sal e pimenta, a gosto
- ½ pacote de manteiga com sal
- 1 xícara (não cheia) de vinho branco
- 3 pães franceses torrados no forno para ralar

Serve 5 pessoas

Desfolhe as alcachofras até chegar ao coração. Descarte todo o resto. Divida cada coração em 4 ou 6 pedaços (dependendo do tamanho da alcachofra). Reserve num pote com água e umas gotinhas de limão para evitar que escureçam. Em uma frigideira de boca larga derreta a manteiga, acrescente os camarões, as alcachofras e o suco de um limão (eu amo limões, por isso coloco o suco de dois limões como indicado na receita, mas para você experimentar coloque apenas o suco de um, e se preferir, depois acrescente o suco do outro limão). Deixe refogar por cerca de dois minutos, acrescente o vinho e abafe por cerca de mais um minuto. Destampe a frigideira, acrescente o sal, a pimenta, deixe refogar por cerca de mais dois minutos, mexendo eventualmente para que o camarão fique cozido de maneira uniforme. Prove e se quiser acrescente mais sal e pimenta. Tire do fogo e reserve. Enquanto isso, em uma panela grande com bastante água, cozinhe o macarrão. O tempo de cozimento varia entre 9 e 11 minutos dependendo do macarrão escolhido por você. Geralmente o tempo de cozimento vem especificado na embalagem. Seja fiel a isso se quiser um macarrão *al dente*. Misture tudo e sirva imediatamente. Acrescente a casca de limão siciliano para decoração.

Para os pães: Pegue os seus três pães franceses assados no forno e rale na parte mais grossa do seu ralador, sem medo. Rale de maneira desigual para formar uma farofa bem crocante. Acrescente um pouquinho de sal e pimenta e use essa farofa de pão na sua massa em vez de queijo ralado. Fica muito saboroso. O pão absorve o gosto da manteiga com vinho e limão e fica incrível.

Conselho: Eu começo a refogar o camarão e a alcachofra apenas quando o macarrão já está cozinhando há alguns minutos, para que o camarão e a alcachofra fiquem prontos simultaneamente com a massa. Pois não se esqueça, mesmo fora do forno o camarão e a alcachofra continuarão cozinhando devido ao calor. E nenhum camarão fica gostoso com mais de 5 minutos de aquecimento. Por favor, tome cuidado, pois camarões muito cozidos ficam duros e sem sabor.

molhos e caldos

Talvez você já tenha suas próprias versões dessas receitas, mas não custa nada dividir minha maneira pessoal de preparar cada um desses tão úteis e práticos caldos e molhos básicos. Lembre-se, sempre faça como preferir, mais ralo ou mais grosso, a escolha é sua. A receita de massa básica é um clássico! Já vi muitas vezes na casa de amigos. Ela é fácil e realmente funciona. Boa sorte!

Molho básico para salada

- **150 ml de azeite de oliva extravirgem**
- **suco de ½ limão**
- **sal e pimenta-do-reino moída na hora, a gosto**

Este é o meu molho básico. Gosto de preparar tudo numa vasilhinha funda o suficiente para que eu possa batê-lo à vontade sem espirrar molho por aí. Mais uma vez insisto, sinta-se à vontade. Eu, pessoalmente, uso vinagre muito raramente, mas se você preferir vinagre ao limão, nunca se esqueça, o molho é seu e a salada também.

Molho básico para salada, com mostarda

Repita tudo como a receita do Molho básico para salada, acrescentando 1 colher de chá de mostarda dijon ou mesmo da amarela (americana).

Caldo de galinha

Este é caldo caseiro, pode fazer toda a diferença na sua receita.

- 4½ a 5 litros de água
- ossos e carcaça de frango (cerca de 1 kg)
- 1 cebola média, cortada em cruz
- 1 cenoura média, cortada grosseiramente
- 2 talos de salsão (aipo), cortados grosseiramente
- 1 ramo de cada erva (salsa, cebolinha e manjericão)
- 1 folha de louro
- alguns grãos de pimenta-do-reino
- sal, a gosto

Corte cerca de 1 kg de osso e carcaça de galinha. Junte-os numa panela funda com os demais ingredientes. Acrescente a água e leve ao fogo. Depois de levantar a fervura, abaixe o fogo e deixe cozinhar por umas 3 horas. De vez em quando, olhe e vá tirando a gordura que forma na superfície, com uma escumadeira. Depois coe o caldo numa tigela e deixe-o esfriar. Ponha para descansar, de um dia para o outro, na geladeira. Com uma escumadeira tire toda a gordura que se acumulou na superfície. Se tiver pressa e precisar usar o caldo imediatamente, depois que estiver frio, passe papel-toalha ou guardanapo na superfície do caldo e pronto, a gordura irá colar toda nele. Com esta receita, você vai ter de 1,5 a 2 litros de caldo de galinha. Para congelar, eu separo em vidros de maionese de 250 g. Eles depois servirão como medida para fazer as receitas. Este caldo dura de 1 a 2 meses no *freezer* (talvez seja uma boa ideia colocar a data no vidro).

Caldo de peixe

É sempre bom termos um pouco de caldo guardado no *freezer*. O de peixe é fundamental. O que seriam dos nossos risotos e massas sem um bom caldo de peixe para dar o toque final? Os melhores ossos de peixes pra fazer caldo são os de linguado. Robalo também é bom (minha mãe às vezes usava até a cabeça).

- **3½ litros de água**
- **ossos de peixe (cerca de 2 kg)**
- **2 talos de salsão, cortados grosseiramente**
- **½ funcho (erva-doce), cortado grosseiramente**
- **½ cabeça de alho, sem casca**
- **250 ml de vinho branco seco**
- **suco de 1 limão**
- **1 ramo de cada erva (salsa, cebolinha e manjericão)**
- **3 colheres de sopa de azeite de oliva extravirgem**
- **alguns grãos de pimenta-branca**
- **sal, a gosto**

Lave bem os ossos e corte-os grosseiramente. Se for usar as cabeças, remova as brânquias e os olhos. Tenha sempre uma panela alta e funda, tipo um caldeirão, para se fazer caldos e molhos. Nessa panela, refogue o alho e os vegetais no azeite até ficarem tenros, depois adicione os ossos e refogue-os por mais 3 a 4 minutos. Então adicione o vinho. Cozinhe por mais 2 a 3 minutos, tempo suficiente para o álcool evaporar. Acrescente então toda a água e deixe ferver. Esprema o suco do limão dentro da panela e junte os cheiros-verdes. Deixe cozinhar por uns 30 minutos, escumando e tirando alguma gordura sempre que possível. Não deixe cozinhar demais, pois os ossos de peixe, depois de certo tempo, soltam um gostinho amargo. Depois, passe o caldo por uma peneira e deixe esfriar. Um bom caldo de peixe é saboroso, tem a cor clara e, quando frio, parece uma gelatina. Minha mãe, depois que ele esfriava, fervia-o novamente e deixava evaporar um pouco para intensificar bem o sabor. Se você tiver tempo para isso, vale a pena. No final sobra aproximadamente 1,5 litro. Para congelar, eu separo em vidros de maionese de 250 g. Este caldo dura de 1 a 2 meses no *freezer*.

Caldo de carne

- 5 litros de água
- ½ kg de ossobuco ou um bom pedaço de músculo
- 2 sobrecoxas de frango com pele (cerca de ½ kg)
- 1 talo de salsão (aipo), cortado grosseiramente
- 1 cebola grande, cortada grosseiramente
- ½ erva-doce, cortada grosseiramente
- 1 ramo de cada erva (salsa, cebolinha e manjericão)
- 1 folha de louro
- alguns grãos de pimenta-do-reino
- sal, a gosto

Junte tudo num caldeirão e leve pra ferver, abaixe o fogo, mexa bem a panela e deixe cozinhar lentamente por cerca de 3 horas, retirando sempre a gordura acumulada com uma escumadeira (eu, Carolina, no caldo de carne não tiro a gordura, ao contrário, gosto dele espesso e com a gordura natural da carne). Depois coe o caldo numa tigela e espere esfriar. Está pronto para usar. Você pode conservá-lo na geladeira por até 1 semana ou levá-lo ao *freezer*. Para congelar, eu separo em vidros de maionese de 250 g. Este caldo dura de 1 a 2 meses no congelador e rende cerca de 2 litros.

Receita básica de massa

Acredite, esta massa é rápida e muito fácil. Pra você perder de uma vez por todas o medo de fazer massa em casa e, se você tiver a máquina, melhor ainda, pois se lembre que a máquina consegue fazer uma massa muito mais fina e delicada do que a aberta com rolo. Dá certo trabalho acostumar-se a ela, mas uma vez dominada, você vai fazer tudo muito mais rápido. A máquina de abrir massa não custa caro e dura a vida toda. Eu uso esta massa tanto para espaguete e linguini quanto para ravioli. Aí vai:

- **4 xícaras de chá de farinha de trigo grano duro (se não encontrar, infelizmente, pode ser a normal, mas vai ficar diferente)**
- **5 ovos bem grandes**
- **sal, a gosto**
- **farinha de semolina (para polvilhar)**

Derrube a farinha de trigo numa superfície plana ou numa tigela. Faça nela um furo bem central. Ali dentro, despeje os ovos. Vá misturando aos poucos com um garfo, de dentro pra fora. Quando começar a formar uma pasta meio mole, é hora de entrar com as mãos e amassá-la bem, até que forme uma massa com uma textura lisa e suave. Enrole-a em filme plástico e deixe-a descansar por 1 hora na geladeira. Tire e divida-a em 4 bolas. Cubra 3 bolas com pano de cozinha, trabalhando uma bola de cada vez. Achate a bola com a base da palma da mão e passe-a no cilindro mais grosso da máquina. O resultado será uma folha bem grossa. Eu costumo dobrá-la ao meio e repetir a operação umas 3 a 4 vezes. Então, polvilho os dois lados da massa com a farinha de semolina e passo no cilindro mais fino da máquina. Repito a operação até ficar na espessura desejada. Repita a mesma operação com as outras bolas de massa.

Molho pesto quase tradicional

- 2 maços grandes de manjericão (só as folhas)
- 3 a 4 dentes de alho médios, triturados
- 6 a 8 castanhas-do-pará,* sem pele e trituradas
- 50 g de queijo parmesão
- 50 g de queijo peccorino
- 1½ xícara de chá de azeite de oliva extravirgem
- sal, a gosto

Bata tudo no liquidificador. Se o molho ficar muito denso, acrescente mais azeite.

* O molho de pesto tradicional é feito com nozes ou pinoli, mas eu adoro o sabor e a consistência da castanha-do-pará. O queijo também pode ser só o parmesão. E se você quiser usar outras castanhas ou sementes (de caju, noz-pecã, macadâmia, amendoim, pinhão etc.), até mesmo uma mistura delas, arrisque sem medo.

Molho pesto de rúcula

- 1 maço grande de rúcula fresca (só as folhas; descarte os talos)
- 3 a 4 dentes de alho médios, triturados
- 6 a 8 castanhas-do-pará, sem pele e trituradas
- 1 colher de sopa de conhaque
- 1½ xícara de chá de azeite de oliva extravirgem
- sal e pimenta-do-reino moída na hora, a gosto

Bata tudo no liquidificador e está pronto. Eu gosto de acrescentar o conhaque, pois como a rúcula é um pouco amarga, o conhaque cai bem e transforma esse pesto num pesto, digamos, *very hot* (risos).

Molho de maionese básico

Pesquisei em vários livros uma receita de maionese que realmente funcionasse. Esta é a que mais se aproxima da eficiência, mas confesso que fazer uma boa maionese é uma das coisas mais difíceis. Simples, porém difícil. Tenho uma amiga na Itália que faz uma maionese incrível. Confesso que já tentei inúmeras vezes. Fico logo ao lado dela, colada, imito todos os seus gestos, bato na mesma velocidade e muitas vezes a maionese dela dá um banho na minha. Juro que a receita é esta e talvez eu tenha que me render ao fato de que maionese não é o meu forte. Sou capaz apenas literariamente de dominar a arte de fazer uma boa maionese. Ei-la! Vai valer a pena tentar (você já degustou uma maionese caseira? É totalmente outro sabor!). Boa sorte!

- **3 gemas de ovos supergrandes**
- **½ colher de sopa de suco de limão**
- **1 xícara de chá de azeite de oliva extravirgem**
- **sal, a gosto**

Coloque as gemas numa tigela de cerâmica ou vidro. Com uma colher de pau, misture devagar, sempre no mesmo sentido, num suave movimento de rotação. Quando as gemas estiverem bem misturadas, adicione a primeira gota de azeite e mexa devagar até que ela seja completamente absorvida. Continue adicionando o azeite, algumas gotas de cada vez, sempre mexendo devagar e no mesmo sentido, só adicionando mais azeite quando as gotas anteriores já estiverem absorvidas. Cuidado para não adicionar azeite demais. Neste momento, a emulsão deve começar a resistir ao mexer e a mistura já deve estar bem espessa. Quando o azeite tiver sido completamente adicionado e a emulsão estiver perfeita, acrescente o sal e o suco de limão. Continue mexendo bem e sirva a maionese numa molheira.

Molho de espinafre da minha mãe

Este molho é perfeito para massas.

- **1 maço grande de espinafre (só as folhas)**
- **2 dentes de alho médios, triturados**
- **1 cebola, pequena, passada no processador (depois escorrida, sem a água)**
- **3 colheres de sopa de manteiga sem sal**
- **1 tablete (ou saquinho em pó) de caldo de carne**
- **1 lata de creme de leite, sem o soro**
- **sal e pimenta-do-reino moída na hora, a gosto**

Numa frigideira preaquecida, derreta a manteiga, refogue a cebola, o alho e o espinafre até que esteja cozido. Espere esfriar e bata tudo no liquidificador. Volte à frigideira para aquecê-lo, acrescente o caldo de carne e o creme de leite. Vá mexendo para que tudo se misture e o caldo de carne se dissolva. Acrescente o sal e a pimenta.

CURRY
LOURO EM PÓ
PIMENTA
PIMENTA REINO

Chocolate semifreddo (receita na p. 103)

doces

Sinto muito informar, pessoal, mas sou simplesmente péssima quando o assunto é doce. Não sei por quê, não é minha especialidade e acabo sempre me atrapalhando. Todos os doces que costumo fazer na minha casa são receitas extremamente simples, mas muito saborosas, como é o caso do famoso bolo de chocolate. Vou ser a mais honesta possível e colocar aqui nesse livro apenas as receitas que realmente consigo fazer. Espero que gostem.

Torta de peras e mel

Essa torta é leve e deliciosa. As peras são caramelizadas no mel e é uma delícia, se servida quentinha! O grande trunfo dela é que na falta de peras, você pode substituí-las por qualquer fruta.

Massa:
- 150 g de farinha de trigo
- 2 colheres de sopa de açúcar refinado, granulado
- 75 g de manteiga sem sal, cortada em cubos
- 1 ovo levemente batido
- 1 gota de essência de baunilha

Recheio:
- 250 g de peras em conserva
- 60 g de mel
- 2 ovos
- 1 colher de chá de amido de milho
- 40 g de açúcar
- 120 ml de natas ou creme de leite fresco
- açúcar de confeiteiro (para polvilhar)

Serve 6 a 8 pessoas

Massa: Peneire a farinha dentro de uma tigela grande junto com o açúcar e acrescente os cubos de manteiga. Esfregue com a ponta dos dedos até obter uma mistura semelhante às migalhas de pão. Certifique-se de que a manteiga está realmente bem distribuída e faça um furo no centro da mistura. Acrescente o ovo e a baunilha no furo e use os dedos para arrastar os ingredientes secos em direção ao líquido até começar a formar uma massa. Se precisar, pode acrescentar um pouco de água. Amasse tudo rapidamente formando uma bola. Não faça por muito tempo ou sua massa ficará dura. Enrole no papel-filme e deixe descansar na geladeira por 20 minutos.

Abra a massa em uma superfície polvilhada com farinha até atingir uma espessura de cerca de 3 mm. Forre então uma fôrma de torta redonda untada com manteiga (de cerca de 18 a 20 cm de diâmetro com fundo móvel). Cubra a massa com um pedaço de papel-manteiga e encha com feijões por cima. Deixe mais 5 minutos na geladeira e em seguida leve ao forno já preaquecido a 200° C por cerca de 10 minutos. Então retire os feijões e o papel.

Recheio: Esquente o mel num tacho até começar a ficar escuro. Escorra as peras, corte-as em cubos de cerca de 1 cm e reserve o líquido. Envolva os pedacinhos de pera com o mel caramelizado. À parte, bata os ovos com o amido de milho, o açúcar, as natas ou creme de leite fresco e reserve. Espalhe os pedaços de pera no fundo da massa pré-assada, guardando o mel que sobrar. Agora cubra com a mistura de ovos e natas e leve novamente ao forno. Passado de 12 a 15 minutos reduza a temperatura para 160° C e deixe por mais 25 minutos. Ferva o mel que restou com o líquido das peras até apresentar uma consistência de xarope. Pincele a superfície da torta com essa mistura, polvilhe com açúcar de confeiteiro e está pronta para servir.

Chocolate semifreddo

Essa torta de chocolate é facílima de fazer e muito gostosa. Além de extremamente refrescante, não é nada enjoativa. Fica deliciosa com frutas e sorvetes.

- 250 g de chocolate amargo, derretido em banho-maria
- 6 ovos (gemas separadas das claras)
- ⅓ de xícara de chá de *brandy*
- 1¼ xícara de chá de creme de leite fresco

Serve 8 pessoas

Forre com papel-filme uma assadeira retangular com capacidade para mais ou menos 1 litro e reserve. Quando o chocolate estiver frio, acrescente as gemas, uma a uma, e mexa delicadamente. Adicione o *brandy*. Numa tigela, bata o creme até formar picos. Junte delicadamente o creme à mistura de chocolate. Em outra tigela, bata as claras em neve, até formar picos, e agregue-as gentilmente à mistura de chocolate. Despeje a mistura na assadeira e congele-a por 4 horas ou até ficar firme.

Mousse de chocolate e nozes da tia Myriam

- 2 latas de leite condensado
- 4 colheres de sopa de achocolatado em pó
- 1 colher de sobremesa de manteiga em temperatura ambiente
- 1 lata de leite (use a lata de leite condensado como medida)
- 1 colher de café de amido de milho
- 2 xícaras de chá de nozes, picadas
- 5 gemas

Serve 8 pessoas

Bata tudo no liquidificador, exceto as nozes que deverão ser colocadas por último para não ficarem muito moídas. Unte a fôrma com manteiga e preencha-a com as nozes picadas. Deposite na fôrma o creme batido no liquidificador e asse em banho-maria por cerca de 1h30. Esse doce fica gostoso sozinho e também acompanhado de chantilly.

Bolinhos de mel

- 200 g de açúcar mascavo
- 80 g de farinha de amêndoas (amêndoa triturada no processador)
- 80 g de farinha de trigo
- 40 g de mel de laranjeira
- 150 g de manteiga
- 5 claras de ovos

Serve 6 pessoas

Preaqueça o forno a 180° C. Em uma tigela, misture o açúcar, a farinha de amêndoas e a farinha de trigo. Bata ligeiramente as claras, sem deixar endurecer e, então, misture à massa. Clarifique a manteiga em uma panela à parte e retire do fogo quando começar a escurecer. Deixe então que amorne e acrescente à massa. Misture o mel até obter uma massa homogênea. Unte com generosidade as forminhas (tipo as de muffins), despeje a massa e leve ao forno por 15 minutos.

Manteiga clarificada: Leve uma panela com a quantidade necessária de manteiga ao fogo bem baixinho. Enquanto ela derrete, com uma escumadeira, vá retirando a espuma que se forma na superfície. Então, após cerca de 45 minutos, a manteiga terá derretido completamente e o soro terá se acomodado no fundo da panela. Coe com um pano e reserve a parte clara da manteiga, dourada e clarificada, descartando o soro. É uma manteiga bastante popular porque aguenta altas temperaturas sem perder o seu sabor.

Bolo de banana

- 8 bananas nanicas bem maduras
- 1 xícara de óleo
- 2 xícaras de farinha de rosca
- 2 xícaras de açúcar
- 1 colher de sopa de fermento em pó
- 3 ovos

Bata no liquidificador o óleo, os ovos e 4 bananas e separe. Em uma tigela misture a farinha de rosca, o fermento em pó e o açúcar. Junte o líquido aos secos e misture bem. Depois coloque tudo em uma assadeira untada, distribuindo a massa uniformemente pela assadeira (cuidado, esse bolo cresce, use uma assadeira ou travessa refratária funda). Por último corte em fatias as bananas restantes e distribua sobre a massa na assadeira, deixando uma distância entre elas para o bolo crescer, e polvilhe por cima com bastante açúcar e canela em pó. Leve ao forno preaquecido a 180°C, por cerca de 30 minutos. Fica uma delícia, é fácil e rápido de fazer! Muitas vezes coloco no forno antes da refeição, assim posso servi-lo quente de sobremesa. É cheiroso e leve, você vai gostar!

Bolo de chocolate com café

- **3 colheres de manteiga sem sal e um pouco mais para untar a forma;**
- **180 g de chocolate amargo 70% de cacau**
- **6 ovos grandes em temperatura ambiente, com as claras separadas das gemas**
- **1 xícara de açúcar**
- **3 colheres de sopa de café instantâneo (tipo Nescafé)**
- **1 pitada de sal**
- **1 colher de sopa de extrato de baunilha**

Preaqueça o forno a 250°C. Unte uma forma desmontável de cerca de 23 cm de diâmetro (tamanho médio). Agora misture as 3 colheres de manteiga sem sal com o chocolate mexendo sempre em uma panela em banho-maria. Até que esteja derretido e uniforme. Agora em uma batedeira bata as gemas de ovos com meia xícara de açúcar até que fique espesso e esbranquiçado (cerca de 3 a 5 minutos). Acrescente o pó de café, a pitada de sal e bata até que esteja tudo bem misturado (cerca de 1 minuto). Agora acrescente a baunilha e o chocolate derretido até que fique tudo misturado (cerca de 1 minuto). Em um outra vasilha bata as 6 claras até que estejam bem firmes e brancas. Acrescente aos poucos o restante do açúcar e bata até que ele fique bem firme (cerca de 5 minutos). Agora misture muito delicadamente as claras em neve com a mistura do chocolate. Então transfira tudo para a forma untada e leve ao forno bem quente para assar (entre 40/45 minutos). Antes de desmontar a forma espere o bolo esfriar completamente, é mais seguro desenformá-lo quando estiver frio. Bom apetite!

Espaguete com tomate-cereja (receita na p. 114)

itália

A Itália acabou se tornando um capítulo muito importante na minha vida por diversas razões, é claro. Nunca é apenas um fator que me liga a um lugar. A Itália me trouxe muitas coisas. Me mostrou como me divertir sozinha e me ensinou receitas maravilhosas. Me proporcionou momentos em família incríveis e outros de aventura do mais alto nível. E me ensinou muito e basicamente tudo sobre acolhimento. Na Itália, sempre me senti acolhida. Sempre que chegava a lugares estranhos, saía com a sensação de ter me encontrado com um pedaço de mim, e isso, convenhamos, traz um calor humano incrível, em qualquer situação. Já falei um pouco sobre isto na introdução deste livro, mas vou falar um pouco mais. Me lembro uma vez em que aluguei por dois meses uma casa numa vila perto de Lucca, na Toscana. A Valentina, minha filha, tinha na época apenas quatro anos. Foi uma das viagens mais memoráveis que já fiz na vida. Meu Deus, como fui feliz naqueles dois meses! Tudo o que eu fazia era receber os amigos, tomar vinho e cozinhar. Claro, nos finais de semana, sempre pegava o carro e saía explorando a região.

Querida Valentina! Foi minha companheira nessa viagem inesquecível. Como as crianças podem ser pacientes! Eu queria parar em todos os lugares, experimentar um pouquinho de tudo, sem nunca ➔

ter pressa de chegar. Às vezes, me lembro, ficava sentada no jardim de casa, a Valentina no meu colo, e eu repetia: "Sente a brisa, minha filha, sente o cheiro de alecrim no ar. Olha só que lua linda". Era eu, ela, a natureza e um bom copo de vinho.

Até hoje, a Valentina me persegue com comentários ácidos do tipo: "Minha mãe é hippie, adora o vento, as folhas verdes...". Fala rindo pras amigas: "Já vai ela dizer: 'Olha a lua, gente!'". Coitada, acho que traumatizei a menina. Isso virou um bordão aqui em casa: "Olhe o sol, olhe a lua!", mas eu não desisti até hoje. Seja lá onde estiver, sempre paro 2 minutos pra sentir a brisa, o sol e o perfume das coisas. Tudo que me cerca me é interessante, e a Itália, nesse sentido, é definitivamente o maior parque de diversões do mundo. Mais até que a França, país que adoro, por sinal. Mas como escutei outro dia: "Os franceses são primos dos italianos; são os italianos mal-humorados". E, como pra mim bom humor é fundamental, *pardon, my french*!

Fiz neste capítulo uma pequena coleção de receitas que adoro e que são facílimas de encontrar em qualquer parte da Itália. Receitas que traduzem pra mim o mais verdadeiro espírito italiano. Coisas que se baseiam na qualidade dos ingredientes e no seu frescor. Por favor, escolha sempre produtos de qualidade e frescos, afinal você vai ingerir esses alimentos. É fundamental que você cuide da qualidade do que come, capriche no vinho que você vai colocar na sua comida, é fundamental que seja um bom vinho, seco de preferência (branco ou tinto). Eu mesma já caí na lenda de que vinho de cozinha não precisa ser bom. É evidente que você não vai abrir uma garrafa sensacional que custe uma fortuna para refogar alguns legumes, mas fuja, realmente fuja do que for vagabundo, afinal existem ótimos vinhos por um precinho bem em conta. Escolha um desses para preparar seus alimentos.

itália

Sopa de abóbora alla Mantovana

- 1 abóbora de cerca de 2 kg (eu gosto de usar a moranga, mas sinta-se à vontade para usar a que quiser)
- 8 colheres de sopa de manteiga sem sal
- 1 pedaço de 120 g de presunto cru
- 3 xícaras de chá de caldo de carne feito em casa (veja receita p. 93)
- 100 ml de vinho branco
- sal e pimenta-do-reino moída na hora, a gosto
- algumas folhas inteiras de manjericão fresco

Serve 4 a 6 pessoas

Corte a abóbora em três, descasque e tire as sementes. Em seguida, corte-a em pedaços grosseiros e deixe de molho numa tigela com água por 30 minutos. Escolha uma panela de fundo grosso e derreta a manteiga. Quando estiver bem derretida, acrescente o pedaço de presunto cru inteiro. Deixe refogar em fogo baixo por uns 5 minutos. Então escorra a abóbora e coloque-a também na panela, refogue por 2 a 3 minutos. Acrescente o vinho, refogue por mais 2 minutos e tampe. Deixe assim por mais uns 15 minutos. Agora acrescente o caldo de carne, misture bem e deixe ferver por 15 minutos, sempre com a panela tampada. Depois tire o presunto e descarte (infelizmente, este presunto não serve para mais nada depois de cozido, sua função era dar sabor à sopa). Bata a sopa numa centrífuga (ou liquidificador) e, em seguida, despeje esse creme em outra panela já preaquecida, em fogo médio. Prove o sal, junte a pimenta e deixe cozinhar pra que ela engrosse um pouco, mexendo de vez em quando com uma colher de pau. Isso deve durar em torno de 10 minutos. Sirva imediatamente com folhas de manjericão boiando na sopa.

Bavette alho e óleo peperoncino à grattugiata

(Esse macarrão é bem simples.)

- 500 g de macarrão bavette (meu preferido; mas pode ser também espaguete, o importante é que seja massa longa pra segurar bem o molho e grano duro, sempre)
- 100 g de pimenta-dedo-de-moça, sem sementes, cortadas em pedaços irregulares
- 4 dentes de alho médios, descascados, cortados em pedaços grosseiros ou em fatias
- azeite de oliva extravirgem, a gosto (200 ml no mínimo)
- sal e folhas de manjericão, a gosto

Serve 4 pessoas

Corte as pimentas ao meio, no sentido do comprimento, e tire as sementes, lave-as por alguns minutos em água corrente. Numa caçarola funda, junte o azeite, o alho e as pimentas. Leve ao fogo, sempre mexendo pra não queimar nada, por uns 4 minutos. Coloque então o manjericão e deixe descansar por 1 hora no mínimo. É essa mistura dos ingredientes que faz ficar mais saboroso. Agora prepare a massa e, depois de pronta, vá misturando aos poucos no azeite com alho e pimenta para a mistura ficar uniforme. Pode por um pouco mais de manjericão se quiser. Sirva bem quente!

Grattugiata: Aproveite seu pão dormido e faça o seguinte: aqueça no forno 2 a 3 pãezinhos franceses e depois rale tudo na parte mais grossa do ralador e misture com sal e bastante queijo parmesão (eu uso o *reggiano*) ralado na hora. Utilize essa mistura para comer com a massa em vez de comê-la só com queijo. Fica uma delícia! Incrível com qualquer massa. Às vezes, eu preparo com um simples *spaghetti al pomodoro*. Incorpore você mesmo essa simples receita no seu dia a dia e faça suas experiências.

Espaguete com tomate-cereja

(Na Itália, eles o chamam de Sangiovannino.)

- ½ kg de tomates-cerejas vermelhos
- ½ kg de tomates-cerejas amarelos
- 150 ml de vinho branco
- 2 dentes de alho, cortados em tirinhas
- manjericão (só as folhas), a gosto
- azeite de oliva extravirgem, a gosto
- sal e pimenta-do-reino moída na hora, a gosto

Serve 4 a 6 pessoas

Molho: As crianças adoram participar desta receita. Simplesmente pegue os tomates e os machuque com as mãos. É uma delícia apertar tomatinho por tomatinho com os dedos. Diria que é bastante terapêutico. Uma vez que estejam todos machucados, deixe-os descansar por uns 30 minutos. Depois aqueça numa frigideira um pouco de azeite extravirgem. Quando estiver quente, jogue os dentes de alho e deixe refogar por 2 a 3 minutos. Pegue os tomates e jogue fora 2/3 da água que soltou deles. Coloque todo o resto na frigideira e refogue por mais 3 ou 4 minutos. Acrescente então o vinho branco, mexa rapidamente a panela e abafe. Imediatamente você vai ver o tomate soltar um pouco mais de água. Junte depois o sal e a pimenta. Como quase tudo é muito simples na cozinha italiana, fica mais evidente a qualidade dos produtos. Não se esqueça, é fundamental usar um bom azeite, bons tomates frescos e maduros, uma boa massa e um bom vinho.

Das massas longas, a minha preferida é o bavette, mas essa massa fica boa com qualquer tipo de espaguete ou linguini. Este é um prato extremamente simples e alegre. Adoro a mistura de cores da massa com os tomates amarelos e vermelhos e, se você quiser, por que não um pouco de manjericão? Não fica nada mal.

Massa com azeitonas pretas e presunto cozido

- 200 g de presunto cozido fatiado, cortado em cubos pequenos
- 300 g de azeitonas pretas (ou chilenas), sem caroço, cortadas grosseiramente
- 1 cebola pequena, passada no processador (depois escorrida, sem a água)
- 1 pouco de leite fresco
- 2 a 3 colheres de sopa de creme de leite
- 60 ml de vinho branco
- 1 pacote (500 g) de massa seca curta (*fusilli*, *penne*, *gnochetti* etc. — use a que preferir, mas de grano duro)
- queijo parmesão, ralado
- azeite de oliva extravirgem, a gosto
- sal e pimenta-do-reino moída na hora, a gosto

Serve 4 a 6 pessoas

Numa panela funda, aqueça um pouco de azeite e refogue a cebola por uns 4 ou 5 minutos, mexendo sempre para que ela não escureça. Depois acrescente o presunto picado, refogue por 1 a 2 minutos. Em seguida, acrescente as azeitonas, sempre em fogo brando. Daí pra frente, você vai mexer sempre e cuidadosamente com um martelo de cozinha (batedor de carne), vá espremendo e machucando as azeitonas na panela. Não tenha pena, nem piedade, quanto mais esmigalhadas estiverem as azeitonas, mais saboroso ficará o molho. Acrescente agora o vinho branco, mexa bem e deixe a panela destampada por 2 a 3 minutos pra que o álcool evapore. Aí então vá acrescentando a essa mistura o leite (bem devagar; o molho não pode ficar muito líquido), para que a gordura do presunto e das azeitonas vá se agregando ao molho. Deixe refogar, mexendo sempre, por 2 a 3 minutos. Coloque o sal e pimenta-do-reino e desligue o fogo.

Numa panela à parte, cozinhe a massa. Siga as instruções da embalagem com relação ao tempo de cozimento. Quando estiver cozida, escorra e já coloque na travessa onde vai servi-la. Acrescente então as 2 ou 3 colheres de creme de leite e um pouquinho de azeite e misture bem, pra que isso se incorpore na massa que vai receber o molho. Quando estiver tudo bem misturado, acrescente metade do molho de presunto com azeitonas. Misture bem. Observe então se o macarrão ficou seco ou se pra você está bom. Se estiver seco, acrescente mais azeite e misture (você vai ter de observar a textura do molho; não se intimide, este molho se transforma num grande creme preto com pitadas cor-de-rosa aqui e ali. É muito importante que ele se misture e dê liga com a massa, por isso, use o olhômetro se sentir falta de mais azeite ou mais creme de leite). Depois, por cima da massa, distribua a outra metade do molho, acrescente uma boa pitada de parmesão e sirva bem quentinha. Fácil, rápido e faz o maior sucesso.

Ravioli recheado com creme de espinafre, coberto com manteiga queimada e sálvia

Este é o tipo de receita quente e gostosa. Evidentemente não indicada pra quem está de dieta. Mas se por acaso você estiver em algum lugar da Itália e der de frente com esse ravioli muito simples e saboroso, não hesite. Nunca errei em pedir esse ravioli em nenhum lugar da Itália. Minha mãe, maluca que é, inventou sua própria versão. Acrescentava ao recheio nozes, que batia com o espinafre no processador e ainda por cima cobria de parmesão ralado e pimenta-do-reino moída na hora. Vale a pena também experimentar.

Manteiga queimada:
- 1 tablete de manteiga com sal
- 1 pitada de sal
- 1 pitada de pimenta-do-reino moída na hora

Recheio:
- 3 maços de espinafre (só as folhas, bem lavadas e crocantes)
- 1 cebola roxa, pequena, passada no processador (depois escorrida, sem a água)
- 2 dentes de alho médios, amassados
- 100 g de bacon, cortados em cubos
- queijo parmesão, ralado
- um pouco de azeite de oliva extravirgem
- sal e pimenta-do-reino moída na hora, a gosto

Serve 4 a 6 pessoas

Manteiga queimada: Numa frigideira, derreta a manteiga. Acrescente a pitada de sal e de pimenta. Mexa. Quando a manteiga estiver ficando escurinha, tire imediatamente do fogo, pois o calor continuará a esquentar a manteiga. É simples e fácil de fazer.

Recheio: Numa frigideira, refogue o bacon até ele ficar bem crocante e soltar toda a gordura. Retire o bacon e reserve. Acrescente o azeite a essa gordura e refogue então a cebola e o alho por 2 a 3 minutos. Junte então o espinafre, vá mexendo aos poucos e deixando a água evaporar. Talvez você não consiga colocar todo o espinafre de uma só vez, não importa, vá colocando aos poucos. Misture o sal e a pimenta e refogue o espinafre até ele estar bem cozido, sem nenhuma água. Isso dura entre 10 e 15 minutos. Retire e espere esfriar. Bata essa polpa no processador, fazendo um creme consistente e muito verde (quase um purê na consistência, não pode ficar molinho). ➔

Massa: Coloque a massa numa superfície plana, polvilhada com farinha de trigo (veja receita básica de massa p. 94). Se você não tiver a fôrma de ravioli, tudo bem, pode cortá-los com copo de requeijão fazendo vários círculos. Para fechar a massa, é melhor fazê-lo quando ela está bem fresca. Caso contrário, umedeça as beiradas dos círculos com um pouco de água ou com uma gema de ovo batida, pra que a massa fique bem fechada. Pegue cada círculo de massa, acrescente 1 colher de chá bem cheia do purê de espinafre com um pouquinho de queijo parmesão ralado e feche formando uma meia-lua. Amasse as pontas com um garfo delicadamente pra que elas fiquem bem presas.

Cozinhe a massa numa panela bem funda, com cerca de 3 litros de água em torno de 5 a 7 minutos. Escorra, misture-a na manteiga queimada com umas folhas de sálvia por cima e umas pitadas de queijo parmesão e *voilá*.

Pasta al cartoccio

(Espaguete assado em papel-manteiga.)

- 500 g de spaghetti grano duro
- 1 dente de alho bem grande, descascado e inteiro
- 1½ lata de *pomodori pelati*, escorridos
- 1 kg de tomates bem vermelhos, maduros e frescos, sem pele
- ½ colher de chá de lascas de pimenta-vermelha
- 30 azeitonas gregas ou chilenas, pretas, sem caroço, cortadas bem grosseiramente
- 2 ramos de salsa fresca (só as folhas), picados bem fininho
- 1 pitada de sal marinho não refinado ou flor de sal
- ¼ de xícara de chá + 2 colheres de sopa de azeite de oliva extravirgem
- sal e pimenta-do-reino moída na hora, a gosto
- papel-manteiga

Serve 4 a 6 pessoas, servido em porções individuais

Numa panela de fundo grosso, esquente bem ¼ de xícara de azeite no fogo médio. Nele refogue o alho por 2 a 3 minutos. Em seguida, retire o alho, e acrescente os *pomodori pelati*. Deixe ferver por cerca de 20 minutos, mexendo de vez em quando com uma colher de pau. Tempere com a flor de sal, o sal, a pimenta-do-reino e a pimenta-vermelha. Sempre em fogo brando, reduza o molho durante uns 10 a 15 minutos; continue mexendo vez ou outra. Sempre que puder, tente repartir os tomates com a própria colher dentro da panela enquanto o molho vai sendo reduzido. Quão menores e mais irregulares os pedaços, melhor.

Preaqueça o forno a 180° C enquanto termina de preparar o molho. Numa panela à parte, cozinhe a massa até ficar *al dente*. Varia de 5 a 10 minutos (veja instruções da embalagem. Não se esqueça, desligue o fogo 1 a 2 minutos antes do tempo estipulado, pois esse macarrão ainda vai ao forno). Escorra a massa e separe-a em quantas porções desejar, colocando cada porção no centro do papel-manteiga cortado em retângulos de 50 cm x 30 cm (corte um comprimento um pouco maior do que a largura do rolo que tem 30 cm).

Corte os tomates frescos em 4, como se fossem gomos, retire as sementes e coloque os pedaços numa tigela. Junte as 2 colheres de sopa de azeite, as azeitonas, o molho de tomate já preparado e a salsa. Prove o sal e a pimenta e misture bem todos os ingredientes. Divida então o conteúdo dessa tigela sobre a massa já nos papéis-manteiga e feche-os bem. Coloque esses embrulhos no tabuleiro de assar e leve ao forno por uns 15 minutos. Retire e sirva imediatamente. Eu gosto de servir com a massa dentro do pergaminho mesmo. Adoro aquela sensação de abrir o papel e aquele vapor sair de dentro com aquele aroma delicioso de tomates e azeitonas.

Ossobuco ao molho de legumes

Molho:

- 4 talos de salsão (aipo) bem frescos e grandes, cortados grosseiramente (eliminar os fios)
- 1 alho-poró (só a parte branca), cortado grosseiramente
- 2 cenouras pequenas, cortadas grosseiramente
- ¼ de xícara de chá de polpa de tomate
- 1 medida (250 g) de caldo de galinha ou carne feito em casa (veja receitas p. 91 e 93)
- 1 xícara de chá de vinho branco
- 100 g de manteiga com sal
- 1 colher de chá de tomilho seco
- sal e pimenta-do-reino moída na hora, a gosto
- alguns grãos de pimenta-do-reino

Ossobuco:

- 6 ossobucos de vitela
- 2 cebolas pequenas, cortadas bem fininhas
- 1 xícara de chá de vinho branco
- 4 folhas de louro
- 1 pitada de noz-moscada ralada na hora
- azeite de oliva extravirgem, a gosto
- sal e pimenta-do-reino moída na hora, a gosto

Serve 4 a 6 pessoas

Molho: Numa panela, derreta a manteiga, refogue o alho-poró, o salsão e a cenoura por 4 a 5 minutos, mexendo sempre para que não escureçam. Acrescente 1 pitada de sal, os grãos de pimenta e o tomilho. Derrame o vinho, refogue por 1 a 2 minutos e abafe por mais uns 5 minutos. Despeje então a polpa de tomate, deixe refogar por mais uns 2 a 3 minutos, e por último acrescente o caldo de carne ou de galinha e deixe cozinhar por 20 a 30 minutos em fogo brando, até que os legumes estejam cozidos. Passe tudo no processador, volte pra panela, ajuste o sal e a pimenta-do-reino, acrescente a moída agora, se quiser. Deixe o molho reduzir em fogo brando por mais 10 a 15 minutos.

Ossobuco: Numa panela de fundo grosso, aqueça um pouco de azeite extravirgem e espere aquecer. Jogue então a cebola e refogue por 5 a 6 minutos, mexendo sempre para que ela permaneça branquinha ou a mais clara possível. Acrescente então o ossobuco, refogando-o por 15 a 20 minutos (o tempo dependerá da panela). No final, eles têm de estar com o aspecto corado e suculento. É importante que fiquem bem corados e cozidos e, principalmente, que o tutano tenha tempo suficiente para cozinhar. Junte então o vinho branco e o louro, e mexa bastante para que todo o caldo da carne que ficou preso no fundo da panela se misture ao vinho, formando um caldo mais colorido e perfumado. Deixe ferver por uns 5 minutos e acrescente o caldo de legumes reduzido que estava na outra panela. Deixe o sabor de tudo se misturar, mexendo bem. Cozinhe por mais 5 a 10 minutos. Acrescente, por último, a noz-moscada para dar o toque especial. Sirva com fatias de pão quentinho. Você pode comer a carne e molhar o pão no delicioso caldo. É incrível e você encontra também em qualquer lugar da Itália.

Filé de frango com ervas ao limão

Esta é uma receita mais moderna, não faz parte daquelas mais tradicionais da Itália, mas adoro frango e acho esse prato uma delícia. Ele fica divino acompanhado de um fettuccine na manteiga.

- 4 peitos de frango bem grandes, cortados em filés de mais ou menos 1 cm de espessura (isso normalmente dá uns 3 filés para cada peito)
- 1 xícara de chá de farinha de trigo
- 150 ml de vinho branco seco
- ½ xícara de chá de caldo de carne feito em casa (veja receita p. 93)
- 20 folhas de salsa
- 3 colheres de sopa de manteiga
- suco de 1 limão (ou ½ limão, se preferir, e aproveite para raspar a casca antes de espremê-lo, você usará a raspa no final da receita)
- alguns ramos de alecrim
- 2 colheres de sopa de azeite de oliva extravirgem
- sal e pimenta-do-reino moída na hora, a gosto

Serve 4 a 6 pessoas

Limpe bem os filés de frango, tempere-os com sal e pimenta, passe-os pela farinha, e retire o excesso. Numa frigideira, coloque 2 colheres de manteiga e as 2 de azeite. Junte as ervas e frite os filés de ambos os lados. Retire da frigideira as ervas e metade da gordura. Acrescente então o vinho e espere reduzir 1/3. Junte o limão e acrescente o caldo de carne. Por fim, acrescente a última colher de manteiga, espere o molho engrossar e está pronto. Esse prato é muito gostoso e simples. Se preferir, ponha apenas o suco de meio limão. Já eu gosto muito da presença do limão. Por isso, às vezes não só ponho o suco de 1 limão inteiro como acrescento raspas da casca um pouco antes de servir. Deixa o prato com um aroma incrível.

mamãe

Na verdade, este livro é uma grande homenagem a todas as mulheres que se dedicam ou se dedicaram a nutrir e aquecer suas famílias. Minha mãe sempre teve uma habilidade especial para receber em nossa casa. Quantas vezes me lembro de, ainda pequena, chegar da escola e encontrar os amigos dos meus irmãos mais velhos sentados na varanda da minha casa comendo tortas, bolos ou simplesmente um pão de queijo quentinho. Minha mãe foi a pessoa que me inspirou e, mais do que isso, foi humilde e paciente, deixando que eu desde muito pequena me aventurasse em sua cozinha, muitas vezes estragando produtos importados, destruindo travessas incríveis ou simplesmente mudando todas as coisas de lugar dentro da geladeira. Mas foi ela, de fato, quem nunca desistiu de mim e permitiu que eu, criança curiosa, me sentisse à vontade entre panelas, facas e fogão. Quantas vezes me lembro de chegar em casa e dizer: "Mãe, experimentei um prato novo" e, sozinha, com o paladar, tentava reproduzir a iguaria. Evidentemente meu índice de acertos era um tanto quanto instável, mas valeu a pena, coisas incríveis até hoje permeiam minha memória. Foi ela quem me ensinou, antes de tudo, a gostar de comer e, confesso, considero este um dos maiores presentes que já me deram na vida. Obrigada, do fundo do coração! ➔

O texto abaixo e as receitas deste capítulo foram todos escritos e descritos pela minha mãe.

RECEITAS DA MINHA MÃE

Sou de uma família tipicamente mineira, por isso darei aqui apenas algumas receitas que eu aprendi ainda criança na casa de meus pais e outras que aprendi já casada e que costumava fazer para o meu marido, para os meus filhos em especial, e também para os amigos. Os doces e os bolos principalmente são os que eles mais gostavam e dos quais desfrutaram durante a infância e adolescência, quando ainda morávamos todos juntos em nossa casa em Goiânia. Viemos depois para São Paulo, onde moramos já há 25 anos. São receitas ainda das décadas de 1960 e 1970 e, portanto, nada modernas e sofisticadas. O estilo de cozinha contemporâneo eu também pratico, mas a milha filha é quem é especialista. Espero que gostem!

Giscelda Alvares Ferraz

Moqueca de peixe

Esta é uma receita bem caseira e saborosíssima, extremamente consistente. Por favor, só faça quando realmente estiver com fome.

- 1½ kg de peixe de sua preferência, em postas
- 5 tomates maduros, cortados em rodelas
- 3 cebolas médias, cortadas em rodelas
- ½ pimentão vermelho, cortado em rodelas
- ½ pimentão amarelo, cortado em rodelas
- ⅓ pimentão verde, cortado em rodelas
- 1 garrafa de leite de coco
- 4 colheres de sopa de azeite de dendê
- limão, a gosto
- coentro picadinho, a gosto
- sal e pimenta-do-reino, a gosto

Serve 8 pessoas

Tempere as postas de peixe com sal, limão e pimenta-do-reino moída na hora e deixe descansar por 30 a 40 minutos. Forre o fundo de uma panela de barro grande, própria para peixe, com um pouco do tomate e a cebola. Por cima, ponha a metade do peixe e cubra com uma camada de tomates, cebolas e pimentões. Salpique sal. Depois coloque mais peixe e cubra novamente com a camada de tomates, cebolas e pimentões. Acrescente por cima o azeite de dendê, o leite de coco e um pouquinho de água (use o mesmo vidro do leite de coco já vazio como medida e sacuda a água). Tampe a panela e deixe cozinhar por 20 a 30 minutos. Quando estiver cozido o peixe, ponha bastante coentro por cima.

Galinhada (ou arroz com galinha)

- 2 kg de frango (peito, coxas e sobrecoxas) temperado com sal, alho, pimenta-do-reino e limão
- 5 xícaras de chá de arroz, lavado e escorrido
- 3 cebolas médias, cortadas miudinhas
- 2 dentes de alho grandes, espremidos
- 3 tabletes de caldo de galinha
- 1 colher de chá de açafrão (cúrcuma), em pó ou 1½ colher dele fresco, ralado fino
- 1 maço de cheiro-verde, picado
- 3 tomates maduros, sem pele e cortados miúdos
- pimenta-do-reino branca moída na hora, a gosto
- sal e pimenta-de-cheiro, a gosto
- óleo

Molho:

- 3 limões espremidos
- 3 tomates, picados bem miudinhos
- 1 cebola grande, picada bem miudinha
- ½ pimentão vermelho, picado bem miudinho
- caldo de frango reservado
- azeite de oliva extravirgem, a gosto
- sal e pimenta-do-reino, a gosto

Serve 10 pessoas

Numa panela de ferro grande, coloque um pouco de óleo e refogue os pedaços de frango (alguns por vez) até que eles fiquem bem corados. Coloque água o suficiente para cozinhá-los e sobrar. Reserve o caldo e os pedaços de frango. Desosse-os e deixe alguns pedaços inteiros e mais bonitos para colocar por cima na hora de servir. Na mesma panela, coloque mais um pouquinho de óleo e refogue a cebola, o alho com 1 pimenta-de-cheiro. Depois, refogue o tomate até desmanchar. Em seguida, coloque o arroz e, quando ele estiver bem refogado, junte o frango, o açafrão, a pimenta-do-reino, os tabletes de caldo de galinha e a água em que cozinhou o frango (porém reservando ainda um pouco para o molho) o suficiente para cozinhar o arroz, deixando-o bem soltinho. Quando estiver quase seco, ponha os pedaços de frango que ficaram reservados e, por cima, bastante cheiro-verde e pimenta-de-cheiro para decorar. Sirva bem quente, acompanhada do molho.

Molho: Misture todos os ingredientes e sirva numa molheira à parte.

Tutu de feijão

- 500 g de feijão (jalo, carioca ou outro de sua preferência)
- 2 caixinhas de 250 g de bacon, em pedaços
- 1 cebola grande, picada miudinho + 1 cebola grande, cortada à julienne (para decorar)
- 2 dentes de alho médios, espremidos
- 2 folhas de louro
- farinha de mandioca
- salsinha e cebolinha picadas

Serve 10 pessoas

Cozinhe o feijão na panela de pressão com bastante água e as folhas de louro. Reserve. Numa panela, refogue o bacon até dourar e ficar fritinho. Em seguida, frite o alho e a cebola até começar a dourar. Jogue o feijão sem o caldo e deixe refogar bem. Em seguida, acrescente o caldo em que cozinhou o feijão e deixe ferver mais um pouco. Quando estiver borbulhando, misture a farinha de mandioca, mas não deixe endurecer. A consistência é mais mole. Enquanto isso, em uma frigideira, refogue levemente a cebola cortada à julienne até ficar dourada. Depois de pronto o seu tutu, jogue-a por cima da travessa, com bastante salsa e cebolinha picadas por cima.

Suflê de chuchu

- 3 chuchus médios, descascados, picados e cozidos e já espremidos no espremedor de batatas
- 1 cebola média, ralada
- 1 colher de sopa de manteiga
- 1½ colher de sopa de farinha de trigo, peneirada
- 1½ xícara de chá de leite
- 3 ovos (gemas separadas e claras batidas em neve em picos)
- 3 colheres de sopa de queijo parmesão, ralado
- sal, pimenta-do-reino e cheiro-verde, a gosto

Serve 4 a 6 pessoas

Numa panela, refogue a cebola na manteiga. Deixe amolecer e acrescente a farinha de trigo, deixando tostar um pouquinho. Então junte o sal, o leite, lentamente, e vá mexendo até formar um mingau grosso. Tire do fogo, misture bem, uma a uma, as gemas. Espere esfriar, acrescente o queijo e o chuchu. Em seguida, adicione as claras em neve. Misture tudo delicadamente. Ponha tudo numa fôrma refratária, redonda e funda (própria para suflê), untada com manteiga e leve ao forno preaquecido a 180° C. Demora cerca de 45 minutos. Por favor, não abra o forno! Fica bom com carnes ou peixes.

Frango com quiabo e polenta

Frango:
- 1 frango inteiro, picado em pedaços
- 1 dente de alho grande, espremido
- 1 cebola média, bem picadinha
- 1 tablete de caldo de galinha
- cheiro-verde picado, a gosto
- óleo
- água
- azeite de oliva extravirgem, a gosto
- sal, a gosto

Quiabo:
- cerca de 300 g de quiabo, cortado em pedaços médios (sem a cabeça)
- 1 cebola pequena, cortada em pedaços miudinhos
- sal, a gosto

Polenta:
- 1 xícara de chá de fubá (dissolvida em um pouco de água fria)
- 1 colher de sopa de manteiga
- 600 ml de água
- sal, a gosto

Serve 6 pessoas

Frango: Refogue os pedaços de frango com bastante óleo para que fiquem bem coradinhos. Elimine o excesso de óleo e refogue no que sobrou a cebola e o alho. Quando a cebola estiver quase escurecida, ponha água quente até cobrir o frango, o tablete de caldo de galinha e sal. Deixe ferver e prove. Quando estiver cozido e com um molho bem saboroso, desligue. Ponha bastante cheiro-verde picadinho por cima.

Quiabo: Lave o quiabo e seque-o bem com um pano. Numa panela, refogue a cebola, o quiabo e o sal. Não mexa, porque cria baba. Ponha um pouquinho de água quente nas beiradas apenas e não mexa, apenas dê uma chacoalhada na panela, segurando pelo cabo. Assim que estiver cozido e verdinho, desligue.

Polenta: Numa panela, ponha a água com sal e deixe ferver. Então, jogue a xícara de fubá dissolvida em um pouco de água fria. Deixe cozinhar bem, mexendo sempre para não grudar no fundo da panela. No final, ponha a manteiga. Sirva o frango com quiabo em uma travessa e a polenta em outra.

Lombo de porco assado

- 1 lombo (cerca de 1½ kg)
- 1 cebola grande, ralada
- 4 dentes de alho médios, bem socados
- 1 limão
- 1 taça de vinho tinto
- sal, pimenta-de-cheiro e pimenta-do-reino moída na hora a gosto

Serve 6 a 8 pessoas

Misture todos os temperos. Fure bastante o lombo com um garfo mais grosso e passe bem nele todo o tempero. Deixe de um dia pro outro na geladeira, dentro de uma *tupperware* (uma vasilha de plástico com tampa). No dia seguinte, forre uma fôrma com papel-alumínio, coloque o lombo nela com o tempero e feche bem o papel-alumínio. Deixe assar por umas 2 horas ou mais em forno a 200° C, até que ele esteja bem macio e assado. Abra então o papel-alumínio e deixe-o dourar. É muito simples. Fica uma delícia com arroz e tutu.

Bolo bom-bocado de fubá

Esta é uma daquelas receitas facílimas de fazer e muito agradáveis. É um dos bolos mais saborosos se comido quente, acompanhado de uma bela xícara de café. Já tive na minha vida muitos bate-papos gostosos regados a bom-bocado de fubá e café fresquinho.

- 4 ovos inteiros
- 3 xícaras de chá de leite
- 1½ xícara de chá de açúcar branco, refinado
- 2 colheres de sopa de manteiga sem sal
- 2 colheres de sopa de farinha de trigo
- 1 xícara de chá de fubá
- 100 g de coco ralado
- 1 xícara de chá de queijo mineiro, curado, ralado (o famoso queijo Minas seco)
- 1 colher de sopa de fermento químico, em pó

Serve 6 a 8 pessoas

Bater tudo no liquidificador e colocar numa fôrma redonda média, daquelas furadas no meio, untada com manteiga e polvilhada com farinha de trigo. Leve ao forno preaquecido a 180°C, por 45 a 50 minutos ou até que espete um palito e este saia seco.

Bolo de cenoura com cobertura de chocolate

Este bolo foi o preferido da minha neta Valentina por anos. Ela adorava ver a cobertura durinha e crocante por cima e derretida e molhada por dentro. Espero que gostem!

Bolo:

- 250 g de cenouras, sem cascas e cozidas
- 2 xícaras de chá de açúcar branco, refinado
- 1 xícara de chá de óleo
- 5 ovos
- 250 g de farinha de trigo
- 1 pitada de sal
- 1 colher de sopa rasa de fermento químico, em pó

Calda:

- 3 colheres de sopa de achocolatado, em pó
- 2 xícaras de chá de açúcar branco, refinado
- 2 colheres de sopa de manteiga sem sal
- ½ xícara de chá de leite

Serve 6 a 8 pessoas

Bolo: Bata as cenouras, o açúcar, o óleo e os ovos no liquidificador. Despeje tudo numa tigela e vá acrescentando aos poucos a farinha de trigo. Só por último coloque o fermento. Use uma assadeira retangular untada com manteiga e farinha de trigo e leve ao forno já preaquecido a 180° C, por cerca de 45 minutos.

Calda: Leve tudo ao fogo numa caçarola de fundo grosso. Vá mexendo sempre no mesmo sentido até que a calda se desprenda do fundo da panela, fazendo com que você consiga ver o fundo. Ponha imediatamente sobre o bolo. (Se preferir, faça a receita em dobro, é sempre bom, pois o bolo fica molhadinho e bastante crocante por fora.)

Pavê JK

Até hoje minhas filhas gostam dessa receita, que se tornou moda em Minas Gerais na época que Juscelino inaugurou Brasília. A Carolina diz que esse pavê tem gosto de infância.

Creme:
- 1 lata de leite condensado
- 3 gemas
- 1 lata de leite (use a lata de leite condensado como medida)
- 1 colher de chá de amido de milho
- algumas gotas de essência de baunilha

Recheio:
- 1 pacote (180 g) de biscoitos champagne
- 1 xícara de chá de leite
- 6 colheres de sopa de achocolatado em pó
- 50 ml de rum

Cobertura:
- 3 claras em neve em ponto de suspiro
- 5 colheres de sopa de açúcar branco, refinado
- 1 lata de creme de leite gelado e sem soro

Serve 6 a 8 pessoas

Creme: Leve ao fogo o leite condensado já misturado com o leite e as gemas. Quando levantar fervura, acrescente o amido dissolvido num pouquinho de leite. Por último, acrescente a baunilha. Está pronto o creme.

Recheio: Numa panela, misture o leite, o achocolatado e o rum e deixe ferver. Desligue e passe rapidamente os biscoitos, deixando que se molhem por alguns segundos de ambos os lados.

Cobertura – Creme de chantilly caseiro: Bata as claras em neve em ponto de suspiro, então acrescente o açúcar e bata novamente até endurecer. Misture com muita delicadeza o creme de leite.

Montando o pavê: Numa travessa de vidro retangular (ou redonda, como preferir), coloque uma camada do creme, uma camada dos biscoitos molhados no rum e chocolate, mais uma camada do creme e outra de biscoitos. Por cima de tudo, acrescente o chantilly caseiro e leve à geladeira. Deixe descansar durante a noite e sirva no dia seguinte.

Ambrosia

- 4 litros de leite
- 2 copos americanos (250 g) de açúcar branco, refinado
- 1 pau de canela
- 1 colher de café rasa de bicarbonato (para evitar coalhar)
- 8 ovos (gemas separadas das claras batidas em ponto de suspiro)

Serve 6 a 8 pessoas

Este doce deve ser feito numa panela bem grande e bem funda ou, de preferência, num tacho de cobre. Antes de levar ao fogo, dissolva bem o açúcar no leite para que ele não agarre no fundo. Quando estiver quase fervendo, bata as claras na batedeira até endurecer (ponto de suspiro), então vá acrescentando as gemas, uma a uma, até tudo ficar bem durinho novamente. Jogue tudo no leite fervendo e imediatamente abaixe o fogo. Cresce muito, e se por acaso começar a derramar dos lados, vá aparando com uma espátula e coloque de novo na panela. Não pode mexer! Quando começar a entranhar o leite nas gemas e elas ficarem mais consistentes, faça um talho no meio em forma de cruz, mas sem mexer. Quando a espuma já estiver cozida, vire do outro lado e deixe cozinhar. Quando o leite já estiver um pouco mais escurinho, pode ir cortando os pedaços mais miúdos. Desligue o fogo e está pronta a ambrosia. Ao todo, leva cerca de 2 horas.

LE CREUSET

Os amigos são muitos e
não cabem na foto!

amigos

É incrível como coisas afins acabam se aproximando. Como sempre gostei de cozinhar, sempre tive um interesse muito grande por outras pessoas que também gostavam de cozinhar. Algumas se tornaram grandes amigas, outras já eram amigas e passaram a se interessar mais por comida e outras simplesmente sempre amaram cozinhar. Metade de tudo o que sei aprendi com elas. É impossível não dedicar a essas pessoas tão importantes um capítulo especial neste meu livro, afinal, quantas noites não fiquei encostada em um fogão preparando um prato qualquer e jogando conversa fora? Quantas vezes não foi durante um almoço ou jantar que abri meu coração ou que me pediram auxílio? Eu acredito que a comida, além de saborosa, é um grande pretexto para encontrar pessoas mundo afora. Este capítulo é totalmente deles. Algumas dessas pessoas eu conheço mais, outras menos, porém compartilhamos o mesmo amor pela comida.

Arroz com bacalhau ao forno

(Tiane – Cristiane Lobo Carvalho Normanha)

A história deste prato surgiu num final de semana que viajamos de Goiânia para Ribeirão Preto para comemorarmos o aniversário da minha filha Juliana, que mora lá. Assim que chegamos em sua casa, ela logo falou para minha mãe, que se chama Solange, inventar um prato gostoso e diferente com as duas bandejas de bacalhau desfiado que ela tinha comprado e já tinha colocado para dessalgar. Com habilidade e rapidez de uma boa cozinheira, minha mãe abriu a geladeira e usou tudo que lá tinha para preparar o prato. Quando o bacalhau estava no forno, já sabíamos que estava incrivelmente gostoso, de tanto que o cheirinho estava maravilhoso. Todos que estavam à mesa, não resistiram em repetir o prato, pois estava leve e muito saboroso. Eu que não sou muito boa na cozinha, recebo milhões de elogios quando faço este prato. Vale a pena fazê-lo!!!

- 1 kg de bacalhau, em lascas
- 4 xícaras de chá de arroz parboilizado
- 5 tomates bem maduros, picados, sem pele e semente
- 2 pimentões (1 vermelho e 1 amarelo) pequenos, picadinhos
- 2 cebolas médias, raladas na parte grossa do ralador
- 2 dentes de alho, bem picadinho
- 4 xícaras de chá de água quente
- 2 tabletes de caldo de bacalhau ou galinha, dissolvidos em água quente
- 1 xícara de chá cheia de azeite de oliva extravirgem

Serve 4 a 6 pessoas

Desfie o bacalhau em lascas depois de dessalgá-lo (coloque-o em uma bacia com água durante 24 horas e troque essa água umas 3 vezes). Em uma bacia funda, coloque os seguintes ingredientes: os tomates, os pimentões, as cebolas, o azeite, o alho, o arroz cru e, por último, o bacalhau escorrido e sem água e misture tudo devagar com uma colher de pau. Em seguida, coloque tudo em um pirex grande oval. Em seguida, regue os ingredientes no pirex com o caldo de galinha ou bacalhau diluído com a água quente. Cubra o pirex com papel-alumínio e leve ao forno médio por aproximadamente 1h30. Depois de uns 40 minutos, abra o forno e dê uma mexidinha na mistura com uma colher de pau para que o prato fique cozido de forma homogênea.

Dica: Pode comprar o bacalhau já desfiado em bandeja com aproximadamente ½ kg cada, pois é mais prático e fica bom também. Bom apetite!!!

Torta de chocolate Mariano

(Fernanda Marques)

Massa:
- 2 xícaras de farinha de trigo
- ¾ de tablete de manteiga
- 2 colheres de sopa de açúcar refinado

Recheio:
- 1 lata de leite condensado
- 1½ tablete ralado de chocolate ao leite

Serve 4 pessoas

Massa: Misturar a farinha de trigo, a manteiga e o açúcar, fazendo uma boa liga até formar uma bola. Reservar uma parte da massa para fazer a cobertura da torta. Forrar uma fôrma de fundo solto (sem untar) com a outra parte da massa. Furar a massa com um garfo para que ela não cresça. Levar ao forno médio para dourar.
A massa para a cobertura deverá ser aberta e recortada em pequenas tiras e levemente assada separadamente para fazer a decoração (em forma de losangos).

Recheio: Derreter o leite condensado com o chocolate no fogo baixo. Depois de frio, colocar sobre a massa assada e decorar com as tiras de massa. Levar à geladeira.

Bolo de mel

(Raquel Davidowicz)

- 1 kg de farinha de trigo
- 6 ovos (gemas separadas das claras)
- 2 copos de requeijão de mel
- 3 copos de requeijão de açúcar
- 2 copos de requeijão de chá preto (bem forte)
- 1 colher de sopa de achocolatado em pó
- 1 colher de chá de bicarbonato
- 1 colher de chá de fermento químico em pó
- 1 xícara de café com café (bem forte)
- 1 colher de chá de canela em pó
- 1 copo de requeijão de nozes
- ½ copo de requeijão de azeite de oliva

Serve 6 a 8 pessoas

Bata as claras em ponto de neve. Junte os demais ingredientes. Despeje a massa numa assadeira retangular grande, untada com azeite e farinha. Salpique as nozes sobre a massa. Asse em forno preaquecido a 180° C, por 30 minutos.

Delizia della dama

(Francesca Romana Diana)

Esta é uma deliciosa sobremesa, facílima e muito prática, por não precisar usar o forno. Antigamente, era usada pelas moças de boa família para impressionar seus pretendentes. Minha mãe a fez quando conheceu meu pai e funcionou. Estão casados há 53 anos! Ela nunca mais fez esta receita...

- **100 g de chocolate amargo (em barra)**
- **1 pacote de biscoitos Maria, quebrados (sugestão: colocar os biscoitos dentro de um saco plástico e passar o rolo de massa por cima)**
- **1 ovo**
- **100 g de açúcar**
- **80 g de manteiga sem sal**
- **papel-alumínio**

Serve 6 a 8 pessoas

Derreta o chocolate em banho-maria. Reserve. Misture o açúcar, a manteiga e o ovo, batendo bem. Junte ao chocolate e acrescente os biscoitos quebradinhos. Coloque a mistura sobre o papel-alumínio e enrole-a, como se formando um salame. Leve ao *freezer* por 1 hora.

Figos ao molho de vinho com creme de ricota

(Xênia Mozzaquatro e Eniza Bolonha)

- 2 xícaras de chá de vinho tinto seco
- 1½ xícara de chá de açúcar
- 12 figos maduros, porém firmes, bem lavados
- ½ xícara de chá de creme de leite fresco
- 1 xícara de chá de ricota fresca, passada na peneira
- 1 envelope de açúcar Vanille
- ramos de hortelã (para decorar)

Serve 6 pessoas

Numa panela pequena, leve ao fogo o vinho e o açúcar até ferver. Junte os figos e cozinhe por 5 minutos. Retire-os com uma escumadeira e reserve numa travessa. Cozinhe a calda por mais 8 minutos ou até engrossar ligeiramente. Deixe esfriar e leve à geladeira. Numa batedeira, bata o creme de leite até obter picos moles. Adicione a ricota e o açúcar Vanille e misture bem. Sirva os figos com o molho de vinho e o creme de ricota decorado com os ramos de hortelã.

Creme de manga com redução de balsâmico

(Helena Augusta)

Esta receita aprendi na casa de minha amiga Iliane Klaus e desde então repito sempre.

Creme:

- 2 mangas grandes (Palmer ou Haden), geladas, descascadas e cortadas e batidas no liquidificador, sem água

Calda:

- 1 xícara de chá de vinagre balsâmico
- 1 colher de chá de mel

Serve 4 a 6 pessoas

Ferva, por 10 a 15 minutos em fogo baixo, todos os ingredientes da calda em uma frigideira de boca bem aberta até reduzir e virar uma calda em ponto de fio, mais ou menos equivalente a uma colher de sopa bem cheia.

Colocar o creme de manga em taças e por cima um fio da calda.

Spaghetti alla puttanesca

(Roberto Paz)

O spaghetti alla puttanesca era originalmente o prato favorito das prostitutas na Itália. Podia cozinhar rapidamente quando elas tinham um pouco de tempo livre. Hoje, é encontrado em toda a Itália, particularmente em Roma. É um prato perfeito quando você não tem muito tempo. Não se esqueça da salsa fresca, que não só acrescenta perfume, mas também cor.

Molho:

- 6 filés de anchova, bem picadinhos
- 3 dentes de alho grandes, picados
- 3 latas de *pomodori pelati*, batidos em purê
- 15 azeitonas pretas, sem caroço, cortadas ao meio
- 2 colheres de sopa de alcaparras, escorridas e enxaguadas
- 1 xícara de chá de salsa, picada
- 6 colheres de sopa de azeite de oliva
- sal marinho (não refinado)
- 1 pitada de pimenta-vermelha moída (opcional)

Massa:

- 500 g de espaguete grano duro
- 6 litros de água
- 3 colheres de sopa de sal

Serve 6 pessoas

Molho: Numa frigideira grande o suficiente para manter a massa, derrame o azeite, adicione a anchova, o alho, a pimenta e a pitada de sal. Misture bem a frio e, em seguida, aquecer em fogo médio por 2 a 3 minutos até que o alho doure, mas sem queimar. Coloque o purê de tomate na panela, junte as azeitonas e as alcaparras. Misture bem e deixe ferver destampado por uns 15 minutos, até o molho engrossar. Prove e ajuste o tempero.

Massa: Numa panela a parte, ferva a água, acrescente o sal e cozinhe o espaguete até ficar *al dente*. Escorra bem. Despeje o espaguete na panela do molho e misture. Deixe aquecer lentamente por 2 minutos para permitir que a massa absorva o molho. Adicione a salsinha e misture novamente. Sirva imediatamente. Normalmente não é necessário queijo parmesão ralado com este prato, mas faça como quiser.

Bolo fim de tarde na casa de dona Cotinha

(Adriana Barra)

- 3 ovos (gemas separadas das claras)
- 2½ xícaras de chá de açúcar refinado
- 2 colheres de sopa bem cheias de margarina
- 1 xícara de chá de leite
- 3 xícaras de chá de farinha de trigo, peneirada
- 1 colher de sopa cheia de fermento em pó
- 100 g de queijo parmesão, ralado
- 1 pitada de sal

Serve 6 a 8 pessoas

Bata as claras em neve com a pitada de sal e reserve. Em seguida, bata o açúcar, as gemas e a margarina com um pouquinho de leite até que a massa fique esbranquiçada. Coloque o leite e bata intercalando com a farinha. Ligue a batedeira na rotação máxima e bata até levantar bolhas. Coloque o queijo e bata mais um pouco. Desligue a batedeira e acrescente o fermento dissolvido num pouco de leite. Misture muito bem com fuê. Por último, junte as claras em neve delicadamente. Despeje a massa numa forma redonda de buraco no meio, untada com margarina e polvilhada com farinha de trigo. Levar ao forno preaquecido a 200° C, até corar (enfie um palito, que deve sair seco, para saber se o bolo está assado).

Milho à la Plata

(Lara Gerin)

Milho:

- 12 espigas de milho verde, bem amarelas
- 3 colheres de sopa de manteiga + mais um pouco para dourar no final
- 2 gemas
- 3 colheres de sopa de queijo parmesão, ralado
- 100 g de uvas-passas pretas, sem sementes
- picadinho de carne ou frango com linguiça
- sal a gosto

Picadinho:

- 500 g de carne moída de boi ou frango
- 1 linguiça calabresa defumada
- 1 colher de sopa de manteiga
- 3 dentes de alho médios, esmagados
- 2 cebolas médias, picadas
- ½ xícara de chá de caldo de carne
- 1 folha de louro

Serve 8 pessoas

Retire os grãos das 12 espigas. Passe a metade do milho no liquidificador, coe e reserve. Coloque numa panela 2 colheres de manteiga e junte a metade do milho em grãos, tampe a panela e, se precisar, pingue água até que o milho fique cozido. Vá juntando aos poucos o milho batido e coado até ficar um creme. Tire do fogo e deixe esfriar um pouco. Junte as gemas, outra colher de manteiga, sal, queijo ralado e misture tudo.

Picadinho: Refogue bem a carne e a linguiça na manteiga com o alho e o louro. Junte o caldo de carne e a cebola e deixe no fogo até a água secar. Reserve.

Coloque numa forma refratária untada com manteiga uma camada de creme de milho seguida de uma camada de picadinho com um pouco de passas e cubra com a outra parte do creme de milho. Polvilhe o queijo ralado e entremeie com pedacinhos de manteiga. Leve ao forno a 180° C, até dourar. Sirva com arroz integral e batata palha.

Risoto de gorgonzola com figos ramy

(Rodrigo Alvares)

- **350 g a 400 g de arroz para risoto (*arborio* ou carnaroli)**
- **1 cebola média, cortada em pedaços bem pequenos**
- **150 g de queijo gorgonzola**
- **4 ou 5 figos, cortados em cruz**
- **100 g manteiga (separe 1 boa colher de sopa de manteiga para o final)**
- **1 taça de vinho branco seco**
- **2 colheres de sopa de queijo parmesão tipo grana padano, ralado na hora**
- **cerca de 1½ litros de caldo (brodo) de legumes**
- **1 colher de sopa de azeite de oliva**

Serve 6 a 8 pessoas

Refogue a cebola na manteiga com o azeite até que fique macia e transparente. Acrescente o arroz e refogue por 4 a 6 minutos. Acrescente o vinho e mexa até secar. Vá colocando aos poucos conchas do caldo de legumes bem quente até o cozimento do arroz, de 16 a 18 minutos. O arroz deve estar *al dente*, úmido e cremoso. Acrescente o gorgonzola em pedaços e mexa até derreter. Acrescente os figos e misture no risoto. Desligue o fogo. Finalize com a colher de manteiga e o queijo parmesão. Mexa bem e sirva imediatamente.

Assado de carne (ou Músculo ao vinho) com polenta

(Lenny Niemeyer)

- 2 peças de músculo inteiras (cerca de 2 kg no total)
- 1 garrafa vinho tinto seco (talvez mais um pouco para molhar a carne ao assar)
- 1 cenoura grande, descascada
- 1 cebola grande
- 3 dentes de alho médios, picados
- 1 tablete de caldo de carne (melhor até 1 saquinho de caldo em pó)
- louro ou alecrim, a gosto
- sal e pimenta-do-reino, a gosto

Polenta:

- 500 g de fubá de milho
- 1 tablete de caldo de legumes
- alho em lascas (opcional)
- pedaços de queijo gorgonzola
- azeite de oliva a gosto
- sal a gosto

Serve 8 pessoas

Bata no liquidificador o vinho com a cebola, a cenoura e o caldo de carne até diluir tudo. Coloque o músculo numa vasilha e cubra-o com esse caldo. Deixe por cerca de 12 horas na geladeira. Depois retire e coloque tudo num tabuleiro, acrescente a pimenta, o sal e o louro ou alecrim. Acrescente o alho por cima das peças de carne e cubra com papel-alumínio. Deixe assar no forno alto por aproximadamente 4 horas, mantendo sempre o caldo e no caso de secar, acrescentando água e mais um pouco de vinho até que fique bem macio. Sirva a carne inteira para fatiar na hora. Ela deverá estar tão macia que não precisará utilizar faca. Para acompanhar esse assado, o ideal é uma polenta ao gorgonzola.

Polenta ao gorgonzola: Coloque numa panela o fubá com sal e água suficiente para cobrir a mistura. Em fogo alto, mexa sem parar até ferver. Acrescente o tablete de caldo de legumes e continue mexendo por aproximadamente 15 minutos, para não empelotar. Quando estiver na consistência de um purê mole, está pronto (se estiver meio dura enquanto perto desses 15 minutos, junte mais água, aos poucos). Coloque então um fio de azeite numa travessa refratária e adicione uma camada da polenta. Então acrescente o gorgonzola e outra camada de polenta. Leve ao forno preaquecido a 180° C por uns 5 minutos. Opcional: doure lascas de alho no azeite e coloque por cima na hora de servir.

Arroz de polvo que minha mãe aprendeu com minha avó

(Lusa Silvestre)

Não sei não, mas escancarar aqui um segredo de família não vai cair bem em casa. Minha mãe vai reclamar; é daquelas que quando solta uma receita, esconde ingrediente, como se tudo que vai ao fogo fosse a fórmula da Coca-Cola. Mas vou contar, ué. O que a Carola me pede que eu nego?

- 2 kg de polvo
- 4 cebolas grandes, picadinhas
- 1 cabeça grande de alho, esmagada
- ½ garrafa de vinho tinto seco
- 4 copos de requeijão de arroz
- folhas de louro
- salsinha picada, a gosto
- azeite de oliva o quanto baste
- sal e pimenta-do-reino, a gosto

Serve 6 a 8 pessoas

Pra começar, o legal é ir caçar os ingredientes – metaforicamente falando. Ninguém aqui quer você saindo com uma rede pra pescar polvo. É que cozinhar nos conformes pede certa pesquisa dos ingredientes. Receita boa tem que ter um garimpo. Nesse arroz, o polvo merece certo empenho. Porque nem toda peixaria tem, e porque o ideal é que seja polvo chileno, o que diminui ainda mais o número de lugares onde você pode comprar. (Quem insistia nessa do polvo chileno era minha mãe. Minha avó portuguesa fazia com qualquer polvo brasuca mesmo. Mas, depois, investigando, descobri o motivo da especificidade: o Pacífico tem águas mais frias. E peixe vindo de lá tende a ser mais suculento, porque tem mais gordura. Peixe também engorda no frio.) Pronto: achou o polvo. Aproveite que a peixaria é de qualidade, e peça pra "bater" o polvo. Que é um troço chato, e já que vão cobrar caro pelo polvo, que os peixeiros façam o trabalho pior. "Bater" o polvo é tirar a areia das ventosas, tirar o visgo, deixar o bicho no ponto de ir pra panela. Eles sabem como faz.

Então vamos lá. Um dia antes, corte o polvo com uma tesoura em pedaços de dois dedos de largura. Corte tudo: tentáculos, ventosas, e tudo mais que ➔

parecer polvo, tudo no tamanho grande. Quando cozinhar vai ficar menor, então é bom cortar grande, para as pessoas poderem morder legal cada pedaço quando pronto. Numa cumbuca à parte, faça a marinada: misture o vinho, metade das cebolas, metade do alho, a salsinha, o louro, o sal e a pimenta-do-reino. E ponha o polvo, cortado, nessa marinada. Coloque na geladeira por 12 horas e vá cuidar da vida. Daí, o bicho vai virar arroz. Que futuro mais nobre pode querer um polvo?

Hora de fazer. Pegue uma panela e ponha azeite no fundo dela. Mas quando eu falar "ponha azeite", é pra fingir que você é dono da fábrica do azeite Gallo. É pra não ter dó. Ponha bastante azeite no fundo da panela. Refogue o resto do alho e da cebola, espalhando pela casa aquele cheiro enlouquecedor de comida. Quando a cebola estiver mais pro transparente, ponha os pedaços de polvo — não jogue fora a marinada. E vai mexendo, pro polvo se enturmar com o azeite e com o resto. Depois de 5 minutos iniciais, ponha a água da marinada pro refogado virar um cozido. Esta é a fase é superimportante: você vai mexendo, vai cozinhando, e vai tomando o seu copo de cerveja ou vinho, porque demora um tempo pro polvo ficar pronto. Põe aí 1 hora e pouco pro bicho ficar cozido (não estou usando panela de pressão, note bem). Pra saber quando ficou pronto: aperte um pedaço. Tem que estar macio. Experimente: não pode estar borrachudo. Se precisar pôr mais água no processo, fique à vontade. Depois do polvo ficar macio, é hora do arroz. Tem gente que insiste no arroz de risoto, o parboilizado. Minha avó fazia com arroz normal e ficava ótimo. Eu faço com arroz parboilizado porque sou *foodie*, sou fresco, uso Lacoste.

Ponha o arroz na panela, e, de novo, misture com a colher de pau para o recém-chegado arroz se enturmar com o pessoal todo, polvo, alho, cebola, marinada, etecéteras. Aí é ir pondo água conforme precisar, até o arroz chegar no ponto. Quando o arroz estiver pronto, chega a hora de finalizar: já com a panela desligada mas ainda quente pacas, você põe um monte de salsinha por cima, mais outro monte de azeite, sem dó, e sirva. É a coisa mais linda, o arroz roxo fumegando, brilhando de azeite, com o verdinho da salsinha em cima e os pedaços de polvo espalhados. Dois últimos comentários: como a polenta, este prato tende a ser mais bem apreciado no frio, porque ele vem da cozinha fumegando feito meteorito. Sobrou? Ótimo: o prato muda um pouco depois de congelado. Perde frescor, claro, mas fica mais curtido, mais azeitado, sei lá. Ou seja: tomara que sobre.

fim de semana na praia e no campo

Pra quem gosta de receber e está um pouquinho sem inspiração, aqui estão duas sugestões de cardápio: uma pra praia e outra para o campo. Do jantar de sexta ao almoço de domingo. Aproveite e faça suas compras na sexta de manhã, assim todas as carnes, frutas e verduras estarão fresquinhas para o seu final de semana. É possível também cozinhar algumas coisas previamente, por isso às vezes é legal elaborar o cardápio antes. Dessa maneira você, quem sabe, pode sair de casa com algumas coisas já pré-produzidas. Para o café da manhã, não fiz nenhum cardápio especial, deixo ao critério de cada um de vocês. Eu pessoalmente gosto bastante dos sucos sempre frescos, por isso, espere cada convidado chegar à mesa e escolher que tipo de suco prefere pra que seja feito e servido fresquinho. Sirva uma salada de frutas com bananas, morangos e laranja em gomos. ➔

É bonita, leve e bem consistente. As três frutas combinam muito bem juntas. Torradas pretas e brancas. Sempre café e chá. Cada um pode escolher como quer seus ovos. Os pochés são os meus favoritos. Com o objetivo de agradar seus convidados, você, melhor do que ninguém, deve saber o que eles gostam. Se souber que sua amiga é absolutamente louca por croissants recheados de chocolate, por favor, não deixe de providenciar o mimo dela e dos outros também.

Acho sempre simpático também receber os hóspedes com um drinque de boas-vindas, afinal, todo mundo, imagino, deve estar cansado depois da estrada. O meu preferido é champagne misturado com polpa de morango, minha modesta versão do tradicional Bellini. Agrada a todos. Por isso, tenha sempre morangos congelados em casa. Basta batê-los no liquidificador, colocar 1 colher de sopa cheia da polpa congelada em cada taça, acrescentar o champagne e *voilá*.

Importante: os cardápios estão montados para servir 4 a 6 pessoas, portanto, se você for receber mais gente (menos é difícil), ajuste tudo.

cardápio de praia

jantar de sexta

almoço de sábado

fim de tarde de sábado

jantar de sábado

almoço de domingo

praia: jantar de sexta

Sopa de beterraba com iogurte picante

Eu adoro beterrabas, embora saiba que nem todos compartilhem da mesma opinião. Mas esta é uma sopa incrível, pode ser comida quente ou fria. Eu particularmente prefiro fria. É muito saborosa. Além de tudo, esse iogurte picante fica também perfeito com outras sopas, como a de abóbora, pepino, além de ser incrível acompanhando carnes e galinhas.

Sopa:
- 750 g de beterrabas, sem casca, cortadas em cubos
- 100 g de manteiga sem sal
- 1 cebola grande, cortada grosseiramente
- 1 dente de alho gordo, picado
- 1 colher de chá de sementes de cominho
- 800 ml de caldo de galinha feito em casa (veja receita p. 91)
- 1 colher de sopa de azeite de oliva extravirgem
- 1 ramo pequeno de salsa, delicadamente picado (opcional)

Iogurte picante:
- 1 colher de chá de sementes de cominho
- 1 colher de chá de sementes de coentro
- 1 pitada de menta (hortelã) seca
- ½ colher de chá de páprica doce
- 1 pitada de pimenta-caiena
- 4 colheres de sopa de iogurte natural
- 1 colher de sopa de azeite de oliva extravirgem
- sal e pimenta-do-reino moída na hora, a gosto

Sopa: Aqueça a manteiga numa caçarola grande até que derreta. Acrescente o alho, as cebolas e o cominho. Deixe tudo cozinhar em fogo médio por 5 a 10 minutos. Deixe que tudo fique macio, mas não corado. Acrescente a beterraba, derrame o caldo de galinha e espere ferver. Então tampe a panela e deixe cozinhar por 30 a 35 minutos, até que a beterraba esteja macia. Tempere com sal e pimenta. Agora bata a sopa no liquidificador e devolva à panela. Misture bem e prove. Se precisar, acrescente mais sal e pimenta. Se você achar que o creme ficou grosso, pode diluí-lo com um pouco mais de caldo de galinha ou água. Sirva quente ou fria com 1 colher bem cheia do iogurte picante por cima e as folhinhas de salsa salpicadas, se quiser.

Iogurte picante: Numa frigideira seca, em fogo médio, torre o cominho e o coentro por 1 a 2 minutos. Transfira então para um pilão e triture as sementes até que se transformem em pó. Acrescente a menta, a páprica, a pimenta-caiena e o sal. Misture bem e agregue esse pó no iogurte, e, por último, o azeite.

praia: jantar de sexta

Linguado grelhado com lentilhas

- 100 g de lentinha puy (aquela menorzinha, mas serve a outra também), bem lavadas e pré-cozidas, mas ainda bastante durinhas
- 4 filés de linguado (com cerca de 150 g cada), com pele
- 2 folhas frescas de louro
- 40 g de manteiga sem sal
- 1 cebola pequena, delicadamente picada
- ½ colher de chá de curry, em pó
- 1 ramo de folhas frescas de salsa, picadas
- 50 ml de vinho branco seco
- suco de 2 limões
- 2 colheres de sopa de azeite de oliva extravirgem
- sal e pimenta-do-reino moída na hora, a gosto
- gomos de limão (para decorar)
- 1 ramo bem fresco de tomilho, cortado grosseiramente (para decorar)

Tempere o linguado com sal e pimenta. Reserve. Numa caçarola grande, derreta a manteiga, acrescente a cebola, o louro e deixe refogar por 3 a 4 minutos. Depois acrescente as lentilhas, mexa bem e refogue por mais 2 a 3 minutos. Acrescente então o vinho e o limão, misture tudo rapidamente e abafe. Tempere com o sal, o curry e a pimenta. Em uma frigideira larga, coloque o azeite e espere esquentar. É importante que o azeite fique igualmente distribuído por toda a sua superfície. Quando estiver bem quente, deite os filés de linguado com a parte do couro voltada para baixo, agora em fogo médio. Cuidado, apesar de simples, essa etapa requer atenção, pois é importante que o peixe fique com a carne branquinha e a pele bem crocante e corada. Você não irá virá-lo na frigideira nem uma vez, por isso certifique-se de que ele não irá grudar. Cozinhe por uns 10 a 15 minutos. Você verá a carne do peixe ficar bem branquinha e tenra. Está pronto! Sirva individualmente. Coloque no prato primeiro as lentilhas, depois acrescente o filé, polvilhe com salsa e tomilho e leve à mesa com um gomo de limão para dar um gostinho a mais em seu prato, além de ser lindo e extremamente decorativo.

praia: jantar de sexta

Coração de alface com ciabatta e molho de limão

- 4 corações de alface bem verdinha e fresca (não sou perdulária, não; guarde bem as suas folhas maiores e use-as na próxima refeição)
- 120 g de pão ciabatta, picado e torrado em cubos
- 2 colheres de sopa de óleo de uva
- 2 colheres de sopa de suco de limão
- 2 dentes de alho médios, macerados
- 1 pitada de açúcar mascavo
- 1 mão cheia de cebolinha fresca, picada
- 30 g de queijo parmesão, ralado na parte grossa do ralador
- 3 colheres de sopa de azeite de oliva extravirgem (para fritar a ciabatta) + 4 colheres de sopa (para o molho)
- sal e pimenta-do-reino moída na hora, a gosto

Separe os corações de alface em uma travessa larga. Aqueça as 3 colheres de azeite numa frigideira em fogo médio. Frite os cubinhos de ciabatta por cerca de 6 minutos, até que fiquem marronzinhos. Tempere com sal e pimenta-doreino, a gosto. Deixe esfriar e coloque sobre a alface. À parte, junte o suco de limão, as 4 colheres de azeite, o óleo de uva, o alho, a pitada de açúcar e uma pitada de sal. Misture então na salada. No momento de servir, acrescente o parmesão.

praia: jantar de sexta

Charlie's Tart

Massa:

- Óleo vegetal (para untar)
- 1½ xícara de chá de bolacha maizena, triturada (coloque os biscoitos dentro de um saco plástico e passe o rolo de massa por cima)
- 5 colheres de sopa de manteiga sem sal, derretida e em temperatura ambiente
- 2 colheres de sopa de açúcar
- 1 pitada de sal

Recheio:

- 1 xícara de chá de açúcar branco, granulado
- ½ xícara de chá de açúcar mascavo
- 1 colher de sopa de geleia de damasco
- 3 ovos grandes + 1 gema grande
- 125 g de manteiga sem sal, derretida e em temperatura ambiente
- 1 pitada de sal
- umas gotinhas de essência de baunilha

Massa: Preaqueça o forno a 250° C. Pegue uma fôrma de torta de 20 cm de diâmetro de fundo removível e borrife com óleo vegetal. Misture bem os biscoitos, a manteiga, o açúcar e o sal e distribua essa massa na fôrma, pressionando do fundo para as laterais. Deixe uma borda de 1,5 a 2 cm. Ponha para esfriar na geladeira, por 15 minutos. Leve então ao forno e asse até a casca da torta ficar dourada, por cerca de 12 minutos. Tire do forno e deixe esfriar. Reduza a temperatura do forno para 180° C.

Recheio: Misture os açúcares à geleia de damasco e o sal. Adicione os ovos, a gema e a baunilha. Só então misture a manteiga, mexendo sempre. Vai ficar um creme espesso e consistente. Distribua o recheio na massa da torta. Deixe assar no forno até que ganhe uma cor castanha dourada, bem crocante e sequinha por fora e completamente úmida por dentro (cerca de 35 e 40 minutos). Depois que esfriar, com muita calma, abra a fôrma (momento delicado esse) e com uma boa espátula ou faca, transfira a torta para o prato ou travessa onde irá servi-la, com delicadeza pra que ela não quebre. Deixe na geladeira por cerca de 2 horas. Sirva bem geladinha.

praia: almoço de sábado

Abóbora assada com chilli, alho e alecrim

Eu, particularmente, adoro esta receita de abóbora, ela é muito amanteigada e saborosa, mas você pode usar também a moranga ou abóbora japonesa. Todas elas ficam muito bem. Faça com a casca mesmo, pois quando assada, a casca dá uma consistência interessante. Mas se preferir sem casca...

- 1 abóbora grande (cerca de 1 kg)
- 6 a 8 dentes de alho gordos, levemente amassados
- alecrim fresco
- 2 pimentas-dedo-de-moça, finamente cortadas, bem lavadas e sem as sementes (é nas sementes que se concentra a ardência de toda pimenta; por isso, neste caso, exclua-as completamente: corte abaixo da coroinha dela, depois faça um corte no comprimento para retirar as sementes em água corrente)
- 30 g de pinoli torrados
- suco de 1 limão pequeno
- 4 colheres de sopa de azeite de oliva extravirgem
- sal e pimenta-do-reino moída na hora, a gosto

Preaqueça o forno a 180° C. Lave bem a abóbora e corte-a em gomos irregulares, descartando as sementes. Coloque-os numa assadeira de alumínio (é mais fina, o que irá acelerar o processo de assar), acrescente o alho, o alecrim, a pimenta, o sal e a pimenta-do-reino e, por último, o azeite, e misture bem. Se sentir necessidade, acrescente um pouco mais de azeite. Coloque no forno para assar por 45 a 50 minutos. Não se esqueça de mexer na assadeira, de vez em quando, para que a abóbora fique completamente dourada de todos os lados. Tire então do forno quando ela estiver macia, acrescente os pinoli, o suco de limão e sirva.

praia: almoço de sábado

Alcachofra alla judia

Este prato é um dos meus preferidos. A primeira vez que provei uma versão dele foi em Roma, num restaurante simplíssimo. Como sou apaixonada por alcachofra, pedi o prato tradicional da casa que era a Alcachofra alla judia. Veio então até minha mesa uma crostata de corações de alcachofra feita na pedra. Vocês são capazes de imaginar amigos, o que é isso? Era uma coisa extremamente crunchy por fora e absolutamente quente e úmida por dentro. Nunca mais esqueci. Evidentemente esta é uma versão mais modesta e aqui vai a dica: quando você não tiver alcachofras, pode substituir por batatas inglesas.

Recheio:

- 1 colher de sopa de óleo de girassol + um pouco para untar
- 120 g de manteiga sem sal
- 2 cebolas médias, delicadamente fatiadas
- 4 dentes de alho médios, finamente fatiados
- 500 g de alcachofras sem as folhas e fibras, só o coração, cortadas em fatias irregulares
- 2 ramos de tomilho fresco (só as folhas)
- 100 ml de caldo de galinha feito em casa (veja receita p. 91)
- 100 g ou um punhado de folhas frescas de espinafre, grosseiramente cortadas
- 200 ml de creme de leite fresco
- sal e pimenta-do-reino moída na hora, a gosto

Cobertura:

- 100 g de pão francês dormido, torrado e ralado na parte grossa do ralador
- 30 g de mingau de aveia
- 30 g de pinoli (ou castanhas-do-pará) torrados e moídos no pilão (opcional)
- 25 g de manteiga derretida
- 30 g de queijo de cabra, ralado

Preaqueça o forno a 180° C. Derreta a manteiga e o óleo numa frigideira grande. Acrescente as cebolas e o alho e deixe refogar gentilmente por cerca de 5 minutos, até que estejam bem macios. Junte então a alcachofra, o tomilho e tempere com sal e pimenta. Deixe tudo refogar por cerca de 5 minutos, mexendo ocasionalmente. Coloque o creme de leite e o caldo de galinha, mexendo gentilmente para que tudo fique bem misturado. Deixe ferver até que o líquido se reduza pela metade. Por último, acrescente o espinafre e transfira tudo para uma fôrma refratária já untada.

Cobertura crocante: Misture todos os ingredientes e espalhe sobre o recheio. Leve ao forno para gratinar por 20 a 30 minutos até que o farelo fique bem dourado e borbulhante.

praia: almoço de sábado

Peixe fácil Carolina

Molho para marinar:

- 2 colheres de chá de cominho, em pó
- 1 colher de chá de coentro, picado
- 4 colheres de sopa de suco de limão
- 2 dentes de alho grandes
- 1 ramo pequeno de tomilho fresco, picado
- sal e pimenta-do-reino moída na hora, a gosto

Peixe:

- 4 filés substanciais (cerca de 150 g cada) de cherne ou badejo, cortados em pedaços grosseiramente
- ½ kg de batatas inglesas, com casca, cortadas em pedaços irregulares
- 4 dentes de alho médios, picados
- 3 colheres de sopa de azeite de oliva extravirgem
- 2 pimentões amarelos, pequenos, cortados em fatias, sem sementes
- 1 pimentão verde, pequeno, cortado em fatias, sem sementes
- 5 tomates inteiros, cortados grosseiramente
- 100 ml do caldo de peixe feito em casa (veja receita p. 92)
- 100 g de azeitonas verdes, sem caroço
- suco de 1 limão
- 3 colheres de sopa de azeite de oliva extravirgem
- sal e pimenta-do-reino moída na hora, a gosto
- folhas frescas de coentro (para decorar)

Molho para marinar o peixe: Passe todos os ingredientes do marinado no processador de alimentos, até que se torne um creme consistente. Empregue.

O peixe: Jogue sobre os pedaços de peixe o molho para marinar, impregnando-os bem. Cubra-os e deixe marinar entre 30 minutos e 1 hora. Enquanto isso lave bem os pedaços de batata numa bacia com água, escorra e seque-os. Numa caçarola rasa, em fogo médio, frite o alho no azeite por 1 a 2 minutinhos. Acrescente os pimentões e deixe refogar por 2 minutos. Junte os tomates e o suco de limão e cozinhe por mais 2 a 3 minutos. Deite agora o peixe marinado e o caldo de peixe, misturando bem. A seguir, adicione as batatas e as azeitonas, e, em fogo médio, cozinhe tudo por uns 10 a 15 minutos, até que o peixe esteja cozido e macio. Decore com as folhas de coentro. Sirva na própria caçarola.

praia: fim de tarde de sábado

Cranberry frisante à la Nina

Aprendi esse drinque com uma amiga nos Hamptons. É facílimo de fazer, extremamente saboroso e refrescante. Virei fã. Esta receita dá 8 drinques.

- **½ litro de suco de cranberry**
- **½ litro de suco de grapefruit**
- **200 ml de rum branco**
- **água tônica**

Misture bem o cranberry, o grapefruit e o rum, acrescente cubos de gelo, distribua a mistura nos copos e, por último, adicione 2 dedos de água tônica em cada copo. Dá um foguinho!

praia: fim de tarde de sábado

Patê cremoso de salmão

- 300 g de salmão defumado
- 2 colheres de chá de mostarda dijon
- 2 colheres de sopa de creme de leite
- 1 pitada de açúcar
- 2 a 3 colheres de sopa de dill fresco, picadinho
- limão, a gosto
- sal e pimenta-do-reino moída na hora, a gosto

Pegue metade do salmão defumado com o creme de leite, a mostarda, a pitada de açúcar e um pouco de suco de limão e passe tudo no processador até que fique macio. Transfira para uma vasilha. Corte grosseiramente o restante do salmão, misture com a pimenta e o dill e junte ao patê. Misture bem. Prove e, se necessário, acrescente mais limão e sal. O ideal é que você deixe isso tudo descansar um pouco num lugar fresco antes de servir, ou até mesmo na geladeira, por uns 20 a 30 minutos. Sirva o patê em *bowls* grandes, é perfeito para comer com torradas de pão. Um adorável canapé.

praia: jantar de sábado

Salada de figos assados com gorgonzola

- 6 figos grandes frescos
- 80 g de queijo gorgonzola, despedaçado

Molho:

- 1 colher de sopa de açúcar mascavo
- 2 colheres de sopa de vinagre balsâmico
- 100 g de folhas de agrião, sem os talos
- 4 colheres de sopa de azeite de oliva extravirgem
- sal e pimenta-do-reino moída na hora, a gosto

Preaqueça o forno a 180° C. Corte uma cruz no topo de cada figo e aperte gentilmente para abri-lo (por favor, com muita delicadeza!). Então acrescente a cada um deles uma colher de chá de gorgonzola bem no coração do figo e coloque no prato de assar.

Molho: Pegue o vinagre balsâmico, o açúcar mascavo, o azeite de oliva e bata bem para que fique bem misturado e grosso. Jogue um pouquinho do molho balsâmico em cada figo e leve ao forno por 5 minutos, até que os figos fiquem tenros e o gorgonzola derretido. Enquanto isso, individualmente, prepare uma cama verde com as folhas de agrião, tempere com sal e pimenta, sempre misturando bem os ingredientes. Coloque por cima os figos já assados e acrescente o restante do molho balsâmico. Sirva quentinho.

praia: jantar de sábado

Spaghetti Alfredo com salmão defumado

- 500 g de espaguete grano duro
- 1 lata de creme de leite
- ½ tablete de manteiga sem sal
- 150 g de queijo parmesão, ralado
- 1 pitada de noz-moscada, ralada
- 1 punhado de cebolinha francesa (aquela bem fininha), bem picadinha
- 50 g de ovas de salmão
- 150 g de salmão defumado, delicadamente cortado em tiras
- azeite de oliva extravirgem, a gosto
- sal e pimenta-do-reino moída na hora, a gosto

Aqueça o creme e a manteiga numa panela de fundo grosso, em fogo médio, por uns 2 a 3 minutos, mexendo sempre, até que ambos se transformem num creme. Acrescente o parmesão, mexa e retire do fogo. Enquanto isso você já terá cozinhado e escorrido a pasta, seguindo as instruções do pacote. Não jogue toda a água do macarrão fora, separe umas 3 ou 4 colheres, para dar liga no molho com a pasta. Volte a massa pra panela, acrescente essa água, o molho acima, a noz-moscada, a pimenta, metade da cebolinha e o salmão. Misture bem e prove. Este prato raramente necessita de sal, pois o parmesão e o salmão defumado geralmente são o suficiente. Mas, se sentir necessidade, adicione sal. Sirva em pratos individuais e decore com o restante da cebolinha francesa e 1 colher de chá bem cheia de ovas de salmão.

praia: jantar de sábado

Suflê de limão

Os suflês individuais são muito mais fáceis de fazer do que você imagina. Para ajudar e fazer com que eles cresçam apropriadamente, unte as forminhas individuais com pincel de cozinha, assim você espalha a manteiga uniformemente.

- **2 colheres de sopa de manteiga sem sal, em temperatura ambiente + um pouco (para untar)**
- **4 colheres de sopa de açúcar granulado + um pouco (para untar as fôrmas e decorar)**
- **8 gemas grandes**
- **10 claras batidas em ponto de suspiro, em temperatura ambiente**
- **2 colheres de sopa de farinha de trigo**
- **¼ de xícara de chá de suco de limão + 2 colheres de sopa**
- **2 colheres de sopa de casca de limão, ralada na parte fina do ralador**
- **1 xícara de chá de leite integral**
- **açúcar de confeiteiro (para decorar)**

Preaqueça o forno a 250° C, unte 6 forminhas de suflê individuais (de 300 g a 350 g) e depois salpique o açúcar granulado em cada fôrma untada. Numa travessa, misture as gemas, a farinha, a casca do limão ralada, e 2 colheres de sopa de açúcar granulado. Misture bem. Coloque o leite em uma panela e deixe ferver. Depois de fervido, acrescente-o lentamente à mistura de gemas, mexendo constantemente para evitar (cuidado!) que elas cozinhem. Depois retorne a mistura para a panela onde ferveu o leite e, em fogo baixo, vá mexendo até que engrosse como se fosse um pudim. Isto acontece muito rápido, bastam alguns minutos. Passe o creme por uma peneira e acrescente a manteiga e o suco de limão. Pegue as claras batidas em ponto de suspiro e acrescente, delicadamente, as 2 colheres restantes de açúcar granulado. Bata o suficiente para que fique bem durinha. Agregue 1/3 do suspiro na mistura das gemas e quando estiver bem misturado, adicione o restante das claras e mexendo bem gentilmente com uma espátula (sempre com muita delicadeza). Agora encha cada forminha de suflê até o topo, passe seu dedo ao redor da boca da forma para retirar o excesso de manteiga, caso haja. Leve ao forno até que os suflês cresçam e estejam bem dourados (cerca de 16 minutos). Por último, acrescente o açúcar de confeiteiro e sirva imediatamente, antes que o suflê murche.

praia: almoço de domingo

Torta de abacate com caranguejo

Aí vai uma dica: se adiante já preparando as torradas de massa e a pasta de caranguejo antes. Assim, na hora de servir, é só montar.

- **370 g de massa folhada, pronta, congelada**
- **400 g de carne branca, fresca, de caranguejo**
- **1 colher de sopa de maionese (se preferir use a caseira; veja receita p. 97)**
- **2 colheres de sopa de creme de leite fresco**
- **1 pitada generosa de pimenta-caiena**
- **1 punhado de dill fresco, cortado + algumas folhas (para decorar)**
- **125 g de manteiga sem sal**
- **24 patas de caranguejo descascadas**
- **3 abacates pequenos, cortados em fatias delicadas (formando meias-luas)**
- **suco de ½ limão**
- **papel-manteiga (se não tiver em casa, pode usar papel-alumínio)**

Preaqueça o forno a 200° C. Abra a massa ainda congelada num papel-manteiga (Importante: o papel-manteiga tem de ser praticamente do mesmo tamanho da massa. Se sobrar papel, corte o excesso com uma tesoura), coloque por cima da massa uma assadeira bem pesada (borrifada com um pouco de azeite para não grudar) e leve ao forno. Deixe assar por 10 a 12 minutos. Retire do forno (cuidado, use luvas adequadas para não se queimar), coloque numa mesa e pressione a assadeira em cima da massa para que ela fique bem fina. Dispense a assadeira e devolva a massa ao forno para dourar por uns 5 minutos. Retire e coloque numa tábua e espere esfriar por cerca de 15 minutos antes de cortar em 6 quadrados uniformes. Reserve. Misture a carne de caranguejo à maionese, ao creme de leite, pimenta-caiena, ao limão e ao dill picado. Prove. Se necessário, adicione sal e pimenta a gosto. Derreta a manteiga numa frigideira grande, em fogo alto. Depois de derretida, frite as patas de caranguejo até que fiquem rosadas e levemente douradas. Agora você pode montar sua salada. Em pratos individuais, você coloca os quadrados de massa folhada, 2 ou 3 fatias de abacate, a mistura da carne de caranguejo e por cima coloque 2 ou 3 patas de caranguejo. Decore com um pouco mais de dill fresco, pimenta-do-reino moída na hora e sirva imediatamente.

praia: almoço de domingo

Purê de batata cremoso com alecrim

- **800 g de batata inglesa, cortadas em fatias de 1 cm**
- **50 g de manteiga**
- **2 maços de alecrim fresco, bem picado**
- **150 ml de creme de leite**
- **sal e pimenta-do-reino, a gosto**

Coloque as batatas em uma panela grande, cubra com água fervente com sal e deixe ferver por 8 minutos, até ficarem cozidas. Escorra bem e retorne para a panela. Enquanto isso, em uma panela pequena, junte a manteiga e o alecrim e cozinhe até a manteiga dourar, mexendo sempre. Adicione o creme de leite e deixe ferver, retire do fogo e despeje sobre as batatas cozidas. Passe tudo no espremedor de batatas. Tempere a gosto e sirva.

praia: almoço de domingo

Vagens à la turca com dill e limão

Essa vagem também é deliciosa se servida no dia seguinte, mesmo que ela esteja com o aspecto um pouco desmaiado (risos).

- **2 cebolinhas, delicadamente picadas**
- **2 dentes de alho, delicadamente picados**
- **1 pimenta-chilli fresca bem lavada, cortada em fatias e sem as sementes**
- **250 g de vagem macarrão**
- **1 colher de chá de azeite de oliva extravirgem**
- **1 punhado pequeno de dill, fresco, picado**
- **limão, a gosto**
- **1 colher de sopa de azeite de oliva extravirgem**
- **sal e pimenta-do-reino moída na hora, a gosto**

Em uma caçarola, aqueça o azeite em fogo médio e acrescente as cebolinhas, o alho, o chilli, até que estejam macios, mas não os deixe dourar. Misture sempre. Acrescente então as vagens e coloque 2 colheres de sopa de água. Deixe cozinhar tampado por cerca de 6 minutos. Misture ao menos uma vez (não mexa muito, pois as vagens podem ficar muito moles). Tire do calor e acrescente o azeite extravirgem, o dill e o limão. Tempere com sal e pimenta e sirva quentinho.

praia: almoço de domingo

Cavalas assadas com laranja, alho, azeitonas e erva-doce

Peça ao seu peixeiro para que remova a cabeça e as barbatanas do peixe, mas mantenha-o inteiro. Se você não gosta de espinhas, peça a ele que as retire também. Mas lembre-se, sem a espinha, o peixe ficará pronto alguns minutos mais cedo.

- **2 dentes de alho, picados**
- **1 cebola roxa, média, cortada em rodelas finas**
- **1 bulbo de erva-doce pequeno, cortado em fatias finas**
- **1 punhado cheio de azeitonas verdes, picadas grosseiramente, sem caroço**
- **casca de uma laranja, ralada na parte fina do ralador**
- **suco de ½ laranja**
- **4 cavalas preparadas como na introdução**
- **1 punhado cheio de salsinha fresca, picada (somente as folhas)**
- **3 colheres de sopa de azeite de oliva extravirgem**

Preaqueça o forno a 180° C. Coloque o alho, as cebolas, as azeitonas, a erva-doce e a casca de laranja numa travessa refratária grande o suficiente para caber as cavalas. Acrescente 2 colheres de sopa de azeite de oliva e misture tudo junto com sal e a pimenta-do-reino fresca. Só então coloque as cavalas na travessa. Enfie um pouco do recheio dentro das cavalas, use o resto para forrar e coloque as cavalas por cima. Coloque no forno e asse por cerca de 18 a 20 minutos. Retire do forno, só então acrescente o suco de laranja, a salsinha e o resto do azeite na mistura do peixe. Prove. Se precisar acrescente mais sal e pimenta-do-reino.

cardápio de campo

jantar de sexta

almoço de sábado

jantar de sábado

almoço de domingo

campo: jantar de sexta

Gin and Tonic

Antes do jantar, pra abrir o apetite, sou fã mesmo de um bom Gin and Tonic. Para mim, este é o campeão entre todos os drinques. Gin and Tonic é alegre, chique, fácil de fazer e absolutamente refrescante. Nunca tinha experimentado, até um dia quando fui jantar na casa de uns amigos, em outro país, e vi a turma toda se fartando de Gin and Tonic. Curiosa como só, acabei aceitando e evidentemente me apaixonando. É um drinque forte, cuidado! Não subestime o poder de um bom Gin and Tonic. Por isso mesmo é ideal pra uma sexta-feira à noite. É uma excelente maneira de celebrar o fim de semana que está chegando.

- **gim**
- **água tônica**
- **limão taiti, cortado em rodelas nem finas e nem grossas**
- **gelo**

Coloque alguns cubos de gelo num copo longo (eu prefiro aqueles de vidro grosso, com pé, tipo copo de Coca-Cola; é agradável de segurar e são bonitos, eu acho) e, independente do tamanho do copo, sempre despeje 1/3 de gim e 2/3 de água tônica (eu sempre uso água tônica diet, não custa dar uma mãozinha, né?! (risos)). Faça um cortezinho numa rodela de limão e encaixe-a na borda do copo.

campo: jantar de sexta

Creme de cenoura

Esta receita tem um gosto surpreendentemente doce, que vai muito bem com carne.

- **½ kg de cenouras sem pele, cortadas em rodelas (mais ou menos de 1,5 cm de largura)**
- **2 colheres de sopa de manteiga sem sal + um pouco (para untar)**
- **2 ovos**
- **1 colher de chá de sal**
- **1 pitada de pimenta-do-reino moída na hora**
- **½ xícara de chá de leite**
- **3 colheres de sopa de creme de leite**

Preaqueça o forno a 250° C. Coloque as cenouras pra cozinhar numa panela semitampada com água só até cobri-las por 5 a 10 minutos, no máximo, até que elas fiquem levemente amolecidas. Espete com um garfo pra saber. Escorra a água e passe as cenouras no processador com a manteiga por 30 segundos, acrescente os outros ingredientes e bata por 30 segundos ou mais, até que vire um purê. Depois de tudo isso pronto, coloque numa fôrma redonda de 30 cm de diâmetro, pré-untada com manteiga. Coloque esta fôrma dentro de uma grande travessa refratária, cheia de água. A água tem de ficar na metade da altura da fôrma do creme de cenoura. Leve para assar nesse banho-maria por uns 30 minutos. A mistura tem de ficar firme e consistente, como um pudim (espete um palito, deve sair sem grudes). Se você for servir imediatamente, se programe pra que ela descanse por pelo menos 10 minutos, para que você possa desenformá-la bem, se não, pode servi-la na fôrma, que é sempre mais fácil para reaquecê-la. Caso prefira desenformar depois de deixá-la descansando, com uma faca, cuidadosamente, você descola as laterais e a desvire na travessa que vai à mesa.

campo: jantar de sexta

Salada de rúcula e azedinha

- **1 maço de rúcula frisée ou tradicional**
- **2 maços de azedinha**
- **50 g de pinoli torrados (opcional) inteiros**
- **1 limão, azeite de oliva extravirgem e sal (para o tempero)**

Lave bem a rúcula e a azedinha, corte os cabinhos e raízes, use apenas as folhas. Seque-as um pouco, com cuidado, em papel-toalha para não quebrar muito as folhas de rúcula. Tempere apenas com limão, azeite e sal. Deixe para temperá-las no último segundo antes de levá-la à mesa, pois o sal e o limão cozinham os alimentos. Gosto dessa mistura porque a azedinha tem um sabor inesperado e a rúcula é crocante. Se você gostar, pode jogar um pouquinho de pinoli dentro da salada.

campo: jantar de sexta

Rosbife crunchy, com pimenta e sal grosso

- **1 peça de rosbife (cerca de 1½ kg; calcule 200 g por pessoa)**
- **1 macinho de tomilho fresco, picado miudinho**
- **sal grosso e pimenta-do-reino moída na hora, a gosto**

Peça ao seu açougueiro pra deixar a peça de carne bem limpinha, praticamente sem nenhuma gordura. Eu gosto de borrifar azeite nos alimentos em vez de colocar na panela. Se você também quiser fazer assim, tenha sempre um borrifador por perto, você verá que é muito mais saudável e econômico. Em cima da pia limpa e seca, moa bastante pimenta, misture o sal grosso e o tomilho. Borrife azeite na carne (não muito) coloque-o em cima da pia onde está a pimenta, o sal e o tomilho (faça na pia mesmo, é muito mais eficiente que na tábua de carne), e o enrole sobre a mistura, de maneira que ela fique completamente coberta, com se fosse um rosbife à milanesa, só que, em vez da farinha, estaremos usando os temperos. Comprima um pouco, mas com gentileza, usando as mãos, para que os temperos fiquem bem aderidos à peça. Enquanto isso deixe preaquecendo no fogão uma grelha ou uma frigideira que tenha um bom antiaderente. Quando estiver superquente, preste atenção, coloque a carne na frigideira, não fique mexendo, espere ela corar de um lado para só então virar do outro. Ele vai ficar bem crunchy por fora e bem rosado por dentro. Não leva mais do que 15 a 20 minutos. Depois é só tirar, colocar numa travessa onde será servido (junto com as batatas-doces assadas) e cortar em fatias bem finas.

campo: jantar de sexta

Refogado de espinafre com bacon e ervilhas

- **200 g de bacon, cortado em cubinhos**
- **1 punhado de cebolinha verde, picada**
- **2 bons punhados de ervilhas congeladas**
- **½ taça de vinho branco seco**
- **2 maços de espinafre lavados (só as folhas)**
- **1 pingo de vinagre balsâmico**
- **azeite de oliva extravirgem, a gosto**
- **sal e pimenta-do-reino moída na hora, a gosto**

Frite o bacon numa frigideira sem uma única gota de óleo (a própria gordura do bacon vai servir pra fritá-lo). Atenção: é muito importante que eles fiquem sequinhos e bem crocantes (leva algo entre 10 e 15 minutos) e que toda a gordura fique na frigideira. Separe então o bacon e reserve. Num wok aquecido, coloque 1 punhado da cebolinha verde em um pouco de azeite de oliva e deixe refogar por 2 minutos. Depois adicione as ervilhas e deixe cozinhar por mais 2 minutos. Acrescente o vinho e leve à fervura em fogo brando. Agregue o espinafre, misture tudo e cozinhe até o espinafre murchar. Se necessário, espere no máximo uns 2 minutos para que um pouco do líquido se evapore. Acrescente agora o bacon e aquela gordura que sobrou, o vinagre balsâmico e misture tudo. Finalmente, coloque sal e a pimenta a gosto. Para acompanhar seu jantar de sexta à noite, um bom vinho tinto cai sempre bem.

campo: jantar de sexta

Batatas-doces ao forno

- **1 kg de batatas-doces, com casca e pré-cozidas (mas não derretendo)**
- **25 a 30 folhas de hortelã, lavadas e picadas**
- **1 colher de chá de páprica picante**
- **azeite de oliva extravirgem (para borrifar)**

Depois que as batatas estiverem cozidas, escorra, espere esfriar. Corte-as em palitos generosos com a casca (isso é opcional, eu adoro batatas em casca, mas se preferir, pode tirar). Coloque tudo isso numa fôrma de assar, borrife com azeite, coloque um pouco de pimenta, sal, hortelã e 1 pitada de páprica (a seu critério). Deixe no forno preaquecido a 180°C até ficarem bem coradas. (Obs.: você sabia que as batatas-doces têm cinco vezes mais nutrientes que as batatas normais e a metade das calorias?) Quando prontas, sirva essas batatas na mesma travessa do rosbife. Fica um colorido bem bonito.

campo: almoço de sábado

Fusilli com molho de azeitonas pretas e cream cheese

- 500 g de *fusilli* grano duro
- 400 g de azeitonas pretas (ou chilenas), sem caroço
- 2 colheres de sopa de manteiga sem sal
- 4 a 5 gotas de molho inglês
- quase um 1 pote de cream cheese
- 60 g de pinoli torrados
- 1 a 2 tabletes (ou saquinhos em pó) de caldo de carne (opcional)
- queijo parmesão, ralado na hora, a gosto
- ½ copo de requeijão de azeite de oliva extravirgem
- sal e pimenta-do-reino moída na hora, a gosto

A medida certa de massa por pessoa é 100 g, mas esta receita que estou dando aqui é para um pacote normal de 500 g. Queridos, este molho de azeitonas pretas é inesquecível. Valerá a pena cada minuto gasto na sua preparação.

Passe as azeitonas no processador com o azeite. Deixe tudo bater até ficar uma pasta bem cremosa (se precisar, pode pôr um pouquinho mais de azeite, mas não exagere, pois, quando aquecidas, as azeitonas sempre soltam um pouco de água). Numa caçarola, derreta a manteiga e acrescente a pasta de azeitonas, esquentando tudo por uns 2 a 3 minutos. Coloque o molho inglês e vá acrescentando o cream cheese aos poucos, 1 colher de sopa por vez. Você verá, não vai usar nem um pote inteiro do cream cheese. É importante que tudo se torne uma massa cremosa, mas tem que ter um aspecto úmido, molhado, não pode ficar muito grosso. Digamos, se você olhar, seria como um patê molinho. Lembre-se de que não acrescentamos nem sal, nem nenhum outro tempero. Por favor, prove, é essencial que você aprecie o que está cozinhando e ajuste o que for necessário. Minha mãe, muitas vezes, dissolvia um ou 2 tabletes do caldo de carne ao creme. Eu não faço assim, portanto, a escolha é sua.

À parte, numa panela grande (quanto maior a panela, maior a quantidade de água e mais soltinha ficará a sua massa), ferva uma boa quantidade de água. Acrescente um pouco de sal (mas essa história de acrescentar azeite é uma furada; se você puser uma →

boa quantidade de água e mexer a massa de tempos em tempos, ela não vai grudar), a massa e siga as instruções da embalagem quanto ao tempo de cozimento. Se você gosta da massa bem *al dente* como os italianos, respeite esse tempo como uma religião. Já eu sempre deixo 1 minutinho a mais. Gosto da massa durinha, mas detesto aquela sensação de quase crua. Escorra o macarrão, volte imediatamente para a panela onde o cozinhou e vá acrescentando aos poucos o molho de azeitonas. É importante que haja proporcionalidade entre massa e molho; por isso, não tenha pressa, a mistura é a alma do negócio. Antes de servir, rale um pouquinho de parmesão sobre a massa, pra que ele derreta e faça a liga. Este macarrão é muito saboroso. Eu sou louca por pinoli, por isso sempre tenho em casa um potinho de pinoli já assados e corados que saio distribuindo por aí em vários pratos que faço. Este macarrão, por exemplo, vai muito bem com pinoli. Se ainda assim achar que o macarrão está com aspecto um pouco ressecado, acrescente mais cream cheese e manteiga até ficar com o aspecto desejado.

campo: almoço de sábado

Frango assado ao forno, à moda da minha mãe

- 1 frango grande (cerca de 2 kg), inteiro, com pele
- 4 dentes de alho grandes, triturados
- 1 cebola pequena, batida no processador (depois escorrida, sem a água)
- 1 punhadinho de cebolinha verde, picada
- 1 punhado generoso de folhas de funcho (erva-doce), picadinhas
- suco de 1 ou 2 limões
- suco de ½ laranja
- azeite de oliva extravirgem (para untar o frango)
- sal grosso e pimenta-do-reino moída na hora, a gosto

Pegue um frango, unte-o com azeite (dê uma borrifada nele) e esprema sobre ele o suco de 1 limão e de laranja. Depois, com as mãos mesmo, esfregue no frango todo, por dentro e por fora, uma mistura de alho, cebolinha verde, folhas de funcho, pimenta-do-reino, cebola e sal grosso. Coloque-o numa assadeira e cubra com papelalumínio. Leve ao forno preaquecido a 230° C por uns 40 minutos sem tirar o papel-alumínio. Retire então o papel-alumínio, abaixe o forno para 180° C. Aproveite toda a gordura que escorreu da pele do frango para umedecê-lo. Abra o forno e, com uma colher, aproveite para regar o próprio frango. Se achar necessário, borrife um pouco mais de azeite e pode também espremer mais 1 limão. Depois é só deixar até que ele fique bem corado e úmido, regando-o sempre, para que ele não resseque.

campo: almoço de sábado

Pot-pourri de legumes grelhados

- 6 endívias grandes, sem as folhas externas, cortadas ao meio na vertical
- 2 abobrinhas médias, cortadas em rodelas grossas
- 4 tomates grandes, maduros, sem pele, cortados em gomos e com as sementes
- 1 punhado de cheiro-verde, picado
- suco de 1 limão
- cubinhos de manteiga, a gosto
- azeite de oliva extravirgem, a gosto
- sal e pimenta-do-reino branca moída na hora, a gosto

Ponha tudo numa travessa com tampa (toda de vidro refratário) de maneira bonita, alternando as verduras e legumes. Borrife azeite, jogue o cheiro-verde picado, salpique a pimenta branca, acrescente o suco de limão e o sal. Espalhe cubinhos de manteiga por toda a travessa e leve-a ao forno preaquecido a 180° C, por 20 minutos, tampada. Depois, retire a tampa e deixe dourar. Você pode acompanhar este almoço com caipirinha ou um bom vinho branco gelado. Não se esqueça de levar à mesa um pouco de parmesão ralado na hora, sal, azeite, enfim. Eu mesma cozinho com muito pouco sal. Se os convidados quiserem acrescentar um pouquinho mais disso ou daquilo, que fiquem à vontade.

Electrolux

campo: jantar de sábado

Lombo de vitela assado na panela

- **1 lombo de vitela (cerca de 1½ kg) bem fresquinho e limpo**
- **2 taças de vinho branco seco**
- **2 cebolas médias, cortadas em cruz**
- **1 cebola pequena, picada**
- **4 dentes de alho médios, triturados**
- **1 maço de hortelã, picadinha (só as folhas)**
- **3 tomates, sem pele e sem sementes, cortados em cubinhos**
- **azeite de oliva extravirgem, a gosto**
- **sal e pimenta-do-reino moída na hora, a gosto**

Marine a vitela num recipiente com o vinho, as cebolas cortadas em cruz, os tomates, o sal e a pimenta, por 3 a 4 horas, em um lugar fresco. Preaqueça uma caçarola de fundo grosso, coloque um pouco de azeite extravirgem e acrescente a cebola e o alho. Deixe refogar por 2 ou 3 minutos. Coloque então a vitela na caçarola e deixe dourar de todos os lados. Se precisar, vá pingando uma gotinha de água aqui e outra lá, mas deixe dourar bastante, mantendo-a sempre úmida. Quando estiver bem douradinha, acrescente o molho em que ela marinou. Deixe em fogo brando e tampe a panela. Mexa de tempos em tempos. Essa vitela leva no mínimo 2 horas pra ficar pronta. Ela fica extremamente macia e saborosa, por isso não tenha pressa.

campo: jantar de sábado

Purê de batatas-inglesas com feijões verdes

- **200 g de feijão verde, cozido e bem macio**
- **½ kg de batatas-inglesas (umas 3 batatas grandes), sem casca e já cozidas**
- **½ tablete de manteiga sem sal, no mínimo**
- **queijo parmesão, ralado**
- **sal e pimenta-do-reino moída na hora, a gosto**

Pegue o feijão cozido e as batatas e amasse tudo junto no espremedor de batatas. Derreta a manteiga e vá acrescentando aos poucos ao creme de batata com feijão, sempre devagar pra não ficar muito cremoso; eu prefiro o purê mais consistente. Junte o sal e a pimenta. Antes de servir, jogue um pouco de parmesão ralado. Eu não uso leite intencionalmente. Nunca gostei muito de leite. Mas se você achar que o purê está muito consistente pode acrescentar, além da manteiga, um pouco de creme de leite fresco. Fica a seu critério, pois você sabe a consistência que mais gosta.

campo: jantar de sábado

Salada de alface-americana, endívia e roquefort

- 1½ pé de alface-americana ao murro
- 3 endívias, cortadas em tiras horizontais, bem fininhas
- 200 g de queijo roquefort
- molho básico para salada (veja receita p. 90)

Pegue a alface e, literalmente, dê um soco nela. Isso mesmo: soque a alface até ela ficar em pedaços irregulares e crocantes. Essa é a maneira mais fácil de despedaçar uma alface americana. Lave a alface e as endívias, reserve. Pegue o queijo roquefort e, com a mão, esfarele-o dentro do molho básico da salada, feito de azeite, sal e limão. Faça isso mesmo, pois o roquefort tem tempo de dar uma diluída e tudo se mistura. Só então misture tudo à alface e à endívia.

campo: almoço de domingo

Tartar mix de atum e linguado

- **250 g de atum, cortados em pedaços bem pequenininhos**
- **250 g de linguado, cortados em pedaços bem pequenininhos**
- **1 erva-doce pequena, o bulbo e as hastes, cortados em cubinhos bem pequenininhos**
- **1 punhado de folhas de erva-doce, picadas**
- **1 punhadinho de pimenta-rosa**
- **1 alface-americana pequena, cortada em tiras bem fininhas**
- **1 punhado de pinoli torrado (opcional)**
- **suco de 2 limões**
- **azeite de oliva extravirgem, a gosto (mas só para dar liga)**
- **sal e pimenta-do-reino branca moída na hora, a gosto**

Em dois recipientes tempere separadamente o atum e o linguado, acrescentando metade da erva-doce em um e metade no outro, moendo pimenta branca e jogando um pouco de azeite. Mexa com as próprias mãos, para que os ingredientes se misturem bem. Por último, acrescente o suco de 1 limão no atum e o suco de 1 limão no linguado. Sal a gosto. Este prato deve ser servido individualmente. Forre o prato de almoço com a alface no centro, faça como que um hambúrguer, metade de atum, metade de linguado. Salpique por cima do tartar um pouco da pimenta-rosa e um pouco da folha da erva-doce picada. Se quiser, pode acrescentar um pouco de pinoli torrado, que, pra mim, sempre vai bem.

campo: almoço de domingo

Spaghetti al limone

- **500 g de espaguete grano duro**
- **200 g de manteiga sem sal**
- **2 tabletes (ou saquinhos em pó) de caldo de carne**
- **100 g de amêndoas, trituradas no pilão de forma irregular (opcional)**
- **casca de 2 limões ralada fina (rale as cascas antes de tirar o suco, é mais fácil)**
- **suco de 3 limões**
- **sal e pimenta-do-reino moída na hora, a gosto**

Cozinhe o espaguete conforme as instruções da embalagem. À parte, numa frigideira funda, derreta a manteiga, acrescente o suco de limão e os tabletes de caldo de carne. Mexa bastante para que se dissolvam. Junte o sal e a pimenta. A essa altura, seu macarrão já deve estar cozido, escorra-o e vá misturando aos poucos na manteiga temperada. Mexa bastante para que ele fique bem molhadinho de maneira uniforme. Se sentir necessidade, acrescente mais manteiga. Por último, misture a casca ralada de 1 limão com a massa (deixe o restante da casca para polvilhar sobre a massa quando já estiver servida na travessa). Eu gosto sempre de pegar um punhado de amêndoas, e moê-las um pouco no pilão de forma que fiquem bem irregulares. Sempre jogo por cima do macarrão no último momento. Experimente, você não vai se arrepender.

campo: almoço de domingo

Postas de salmão grelhadas

- **6 postas de salmão bem generosas (entre 150 g e 200 g cada uma)**
- **limão**
- **sal, a gosto**
- **azeite de oliva extravirgem (para borrifar)**

Tempere as postas com limão e sal. Borrife-as com azeite e jogue-as numa frigideira bem quente. Vire--as apenas uma vez; portanto, é importante que doure bem de um lado para só então você virar do outro (cerca de 7 minutos para cada lado). Dessa maneira, o salmão ficará no ponto certo, totalmente cozido por fora, porém bem macio por dentro.

campo: almoço de domingo

Tomates recheados

- 8 tomates grandes e maduros
- 4 a 5 pães franceses amanhecidos, torrados no forno e ralados na parte grossa do ralador
- 100 g de queijo parmesão, ralado
- 70 g a 80 g de azeitonas verdes, sem caroço, picadas em pedaços pequenos
- salsa, picada (opcional)
- sal e pimenta-do-reino moída na hora, a gosto

1ª etapa: Para preparar os tomates, é necessário delicadeza. Primeiro, elimine a tampa dos tomates, descartando-as. Com uma colher de chá, retire delicadamente a polpa, deixando-os ocos por dentro. Pique a polpa e reserve-a.

2ª etapa: Aqui é necessário você se basear no senso de proporção, afinal pãezinhos franceses são de diferentes tamanhos em cada lugar do país; portanto, confie no seu olho. Misture metade do pão ralado à polpa de tomate com as azeitonas picadas, acrescente o parmesão, o sal e a pimenta de maneira que o pão se torne uma mistura úmida e molhada.

3ª etapa: Pegue uma panela refratária, unte-a com azeite para que os tomates não grudem (o ideal é usar o borrifador), e coloque os tomates lado a lado (ainda vazios), de forma a preencher todo o espaço da fôrma. Coloque em cada tomate um pouco de sal e pimenta. Só então, com uma colher de chá, você vai enchendo os tomates com o recheio já preparado. Encha-os até a boca. Por último, borrife-os com um pouco de azeite de oliva e, se quiser, acrescente um pouco de salsa picada em cada um dos tomates. Eu, pessoalmente, adoro; acho que traz alegria e colorido ao prato. Leve ao forno preaquecido a 180° C. Espere-os cozinhar (cerca de 20 a 30 minutos).

meu top 20

Esse capítulo é muito especial, pois coloquei aqui alguns dos meus pequenos tesouros. Alguns pratos ficaram de fora por puro esquecimento, mas alguns outros foram descobertos ao longo do processo de elaboração do livro. Acredito que o resultado tenha ficado bem a minha cara e, honestamente, acho que as receitas vão agradar a todos.

Compota de tomates com queijo cottage e manjericão

- 1½ kg de tomates bem vermelhinhos, sem pele e sementes, picados
- 1 caixa (400 g) de queijo cottage
- algumas folhinhas de manjericão
- páprica picante, a gosto
- 2 colheres de chá de açúcar
- azeite de oliva extravirgem, a gosto
- sal e pimenta-do-reino moída na hora, a gosto

Serve 8 pessoas

Numa panela funda, com um pouquinho de azeite, coloque os tomates junto com os temperos, não se esqueça do açúcar e, cuidadosamente, vá mexendo até sair toda a água dos tomates. Isso leva muito tempo, umas 4 a 5 horas, depende do fogão. É importante ter paciência nesse prato! O fogo deve estar em temperatura média e a tampa aberta, pra água evaporar. Quando essa pasta estiver bem consistente e vermelha, como uma compota mesmo, estará pronta. Sirva em pequenos recipientes ou em consomês, se preferir. Coloque os tomates, depois, com as mãos, despedace um pouco do queijo cottage por cima. Coloque umas folhinhas de manjericão e mais uma gotinha de azeite e está pronto pra servir! Espero que gostem.

Bolo de chocolate

- 200 g de manteiga sem sal
- 5 ovos inteiros
- 6 colheres de sopa de açúcar
- 100 g de coco ralado
- 1 xícara de chá de achocolatado em pó
- 1 colher de sopa de fermento químico, em pó

Calda:

- 1 lata de leite condensado
- 2 colheres de sopa de manteiga
- 1 xícara de chá de achocolatado em pó
- 1 xícara de chá de leite

Serve 6 a 8 pessoas

Bolo: Bata tudo no liquidificador. Leve ao forno pre-aquecido a 200° C em uma fôrma com furo no meio e untada com manteiga e farinha de trigo. Asse por 25 a 30 minutos. Preste atenção, este bolo fica bastante úmido, é quase um *gâteau*. Minha mãe mesmo fazia essa receita dobrada em fôrma de torta e servia pelando com sorvete de creme. É delicioso, pois o centro dele não ficava totalmente assado; então cada pedaço vinha crocante por fora e o chocolate derretido por dentro. No caso aqui em questão, aplique a calda sobre o bolo ainda quente.

Calda: Leve tudo ao fogo e mexa bastante, como se fosse fazer um brigadeiro molinho. Deixe ferver e jogue tudo sobre o bolo. Se preferir, guarde um pouco da calda à parte para que você possa, na hora de servir, molhar cada pedaço com uma dose extra de cobertura de chocolate.

Tartar de atum com gengibre e abacate

Esta é uma daquelas receitas para quem gosta de trabalhar com as mãos. É bastante terapêutica e, melhor, rápida. Deve ser servida imediatamente, pois se lembre de que o limão e o sal estarão cozinhando o seu atum.

- ½ kg de atum vermelho, fresquinho, cortado em cubinhos bem delicados e pequenos
- ½ abacate médio, maduro, porém firme, descascado, sem o caroço, e cortado em cubinhos bem pequenos
- 50 g de gengibre, sem pele, ralado na parte grossa do ralador
- 100 g de pimentas-biquinho, sem as sementes, cortadas em tiras fininhas e bem lavadas
- 1 punhado generoso de folhas de funcho (erva-doce), picadinhas
- suco de ½ laranja
- suco de 1 limão
- molho de soja (shoyu) e azeite de oliva extravirgem, a gosto
- sal e pimenta-do-reino moída na hora, a gosto
- folhas grandes e frescas de endívia (para decorar; opcional)

Serve 8 a 10 pessoas

Num recipiente grande e fundo, jogue o atum, acrescente o gengibre, a pimenta, um pouquinho de shoyu e azeite, e misture bem. Use as duas mãos, se quiser. Prove e coloque a quantidade de sal e pimenta-do-reino desejada. Acrescente o abacate e um pouquinho mais de shoyu. Misture tudo novamente e junte, por último, os sucos de limão e laranja e o funcho. Misture bem e está pronto pra servir. Eu sempre sirvo este tartar em folhas de endívia. Fica uma delícia! Mas você pode simplesmente servi-lo em porções individuais como entrada de qualquer almoço ou jantar. Faz o maior sucesso!

Fusilli com ovo e abobrinha

Essa receita é um golaço. Todo mundo gosta e é simplíssima de fazer. É meu coringa.

- 500 g de *fusilli* (massa de grano duro, por favor)
- 2 abobrinhas grandes, cortadas na parte grossa do ralador
- 3 ovos cozidos e ralados também na parte grossa do ralador
- 1 cebola média, picada em pedaços fininhos
- 3 dentes de alho médios, cortados em tiras finas
- 1 tablete (ou saquinho em pó) de caldo de carne
- 2 colheres de sopa de creme de leite
- 100 ml de vinho branco
- queijo parmesão ralado, a gosto
- azeite de oliva extravirgem, a gosto
- sal e pimenta-do-reino moída na hora, a gosto

Serve 6 pessoas

Cozinhe o *fusilli* conforme instruções da embalagem. Decida se vai querer mais *al dente* ou não, experimentando o ponto da massa. Numa boa frigideira jogue um pouco de azeite, espere esquentar e refogue as cebolas e o alho, mexendo sempre pra que não escureçam. Acrescente depois as abobrinhas já cortadas e refogue-as por alguns minutos. Quando a abobrinha começar a mudar de cor, ficando verde bem viva, é hora de você despedaçar com a mão o caldo de carne em cima dela (ou jogar o pó de caldo de carne) e imediatamente jogar o vinho. Abafe primeiro, por 1 minuto apenas. Depois abra a tampa e, com uma colher de pau, vá mexendo para que os sabores se misturem e o álcool evapore. Por último, acrescente o creme de leite. Depois de pronto o *fusilli*, escorra-o e misture com a abobrinha, os ovos e mais um bocado de azeite e um pouco de parmesão ralado, o sal e a pimenta. Misture bastante, pois o segredo dessa massa é a liga desses alimentos combinados. Tem que ficar macio, delicado, bastante úmido, mas não molhado. Sirva com um bom vinho branco seco.

Spaghetti al ragù di coniglio

Este macarrão eu inventei um dia pra agradar uma amiga que é apaixonada por carne de coelho. Eu mesma confesso que sempre tive resistência com carne de caça, mas descobri uma maneira excelente de preparar coelho, deixando-o macio e tenro. Sempre fica delicioso.

- 1 kg de carne de coelho limpa e desossada
- 1 kg de espaguete grano duro ou qualquer massa longa
- ½ pacotinho de *baby carrots* (cenourinhas), cortadas em rodelas (se achar insuficiente, confie no seu olhômetro)
- 5 pacotinhos (geralmente cada pacote contém 20 g) de pinoli torrados no forno
- 2 cebolas roxas, médias, cortadas grosseiramente
- 2 dentes de alho grandes, triturados
- 2 tabletes (ou saquinhos em pó) de caldo de carne
- 1 tablete de manteiga sem sal
- 1 garrafa de vinho branco seco + 1 taça
- casca ralada de 3 limões (faça isso antes de retirar o suco, é mais fácil)
- suco de 3 limões
- bastante salsinha, picada
- bastante tomilho fresco, picado
- folhas do funcho (erva-doce), picadas (opcional)
- sal e pimenta-do-reino moída na hora, a gosto

Serve 10 pessoas

Prepare o coelho de um dia para o outro. Certifique-se de que ele está realmente limpo e sem gordura. Corte-o em cubos irregulares, mas pequenos. Deixe-os marinando numa bacia com uma garrafa de vinho e todas as ervas juntas (separe um pouco de salsa e tomilho pra acrescentar à massa na última hora); cubra tudo com um pano de cozinha. No dia seguinte, derreta a manteiga numa caçarola bem grande, acrescente a cebola e o alho, coloque uma pitada de pimenta e refogue até a cebola e o alho estarem cozidos. Retire o coelho do vinho e não se incomode, pode aproveitar as ervas. Todo o resto, jogue fora. Acrescente então o coelho ao alho e cebola e deixe-o cozinhar até ficar bem coradinho. Isso por cerca de 20 a 25 minutos, ele precisa estar bem coradinho, mesmo. Acrescente então as cenouras e o suco de limão. Misture tudo e acrescente 2 tabletes de caldo de carne e a taça de vinho branco, mexa bem e abafe por 2 a 3 minutos. Neste ponto, é importante que você prove, pode faltar um pouco de manteiga ou talvez você sinta falta de mais sal. Sinta-se livre para incrementar como quiser. Só então acrescente os pinoli. Agora acrescente bastante salsa picada e, se quiser inovar um pouco, faça uma coisa que eu particularmente uso muito: adoro folhas de erva-doce quando usadas como tempero. Muitas vezes, na minha casa, pico a salsa junto com as folhas do funcho. Elas trazem um perfume fresco e um pouquinho exótico à comida. Acrescente também metade da casca de limão ralada, mexa tudo, desligue e tampe para conservar o calor. Faça isso enquanto cozinha o macarrão, que, depois de escorrido, vai ser misturado aos poucos nessa grande caçarola onde está o coelho refogado. A mistura é sempre, a meu ver, a parte fundamental de qualquer receita. Realmente tenha carinho neste momento. É importante que todos, mas todos os fios do espaguete sejam impregnados com este molho incrível. Sirva num recipiente bem fundo e acrescente o restante da casca de limão ralada. Leve imediatamente à mesa.

Bolo de café

- ½ xícara de chá de café forte e quente
- 4 cravos-da-índia
- 2 xícaras de chá de farinha de trigo
- ½ colher de chá de noz-moscada em pó
- 1½ colher de chá de canela em pó
- ½ colher de chá de bicarbonato de sódio
- 120 g de manteiga + um pouco (para untar)
- 1 xícara de chá de açúcar mascavo
- 2 ovos batidos
- ½ xícara de chá de *maple syrup*
- 1 xícara de chá de uvas-passas pretas, sem sementes
- ½ xícara de chá de nozes, trituradas
- açúcar de confeiteiro, a gosto

Serve 6 a 8 pessoas

Embeba os cravos no café por pelo menos 30 minutos. Preaqueça o forno a 180° C, e unte e enfarinhe uma fôrma de bolo de 20 cm. Peneire juntos a farinha, a noz-moscada, a canela e o bicarbonato de sódio. Numa tigela, bata a manteiga e o açúcar até obter um creme. Remova os cravos do café. Adicione a mistura de farinha à mistura de creme, junte os ovos, o *maple syrup* e o café. Bata tudo. Junte as passas e as nozes. Despeje essa massa na fôrma já preparada e asse-a por 45 minutos ou até que um palito inserido saia limpo. Desenforme e cubra todo o bolo com açúcar de confeiteiro, deixando bem branquinho, tal qual neve. Fica lindo e garanto: é delicioso!

Frango refogado picante

Este frango é um prato quentinho, perfeito para dias mais frios ou para você se alimentar com ele quando se sentir fraco, tipo na cama, num domingo à tarde, enquanto chove lá fora. Não há ser vivo que não se sinta revigorado e mais alegrinho depois de comê-lo.

- 1½ kg de sobrecoxas de frango, sem pele
- 2 cenouras médias, cortadas em rodelas finas
- 2 cebolas roxas, médias, cortadas em pedaços pequenos
- 2 dentes de alho inteiros, sem pele (você irá retirá-los no final)
- 100 g de gengibre, sem pele, ralado
- 1 colher de chá de chilli vermelho
- 2 colheres de chá de cominho, em pó
- 500 g de *pomodori pelati*, cortados em pedaços
- 30 g de manteiga sem sal
- 2 pitadas de molho inglês
- 1 taça de vinho branco seco
- 2 punhados de salsinha, picada
- azeite de oliva extravirgem, a gosto
- sal e pimenta-do-reino moída na hora, a gosto

Serve 6 a 8 pessoas

Numa panela de fundo grosso, misture um pouco de azeite à manteiga, deixe esquentar e refogue a cebola e o alho. Acrescente as sobrecoxas e deixe-as refogar até que fiquem bem coradas e bonitas. Junte então as cenouras e refogue por mais 2 a 3 minutos. Então, adicione todas as ervas, o gengibre, 1 punhado de salsa e o vinho, o sal e a pimenta, e abafe por uns 2 minutos. Depois abra a panela e mexa bastante com uma colher de pau para que todos os ingredientes se misturem. Só então acrescente os tomates e deixe refogar bastante, até ficar um caldo reduzido e bastante espesso por cerca de 20 a 25 minutos em fogo médio. O aroma desse prato é incrível. Provavelmente sua casa toda estará exalando o perfume. Retire os dentes de alho, acrescente então o resto da salsa e está pronto. É perfeito para comer com arroz branco, bem soltinho.

Peixe ao forno com cebolas, batatas e erva-doce

- 2 kg de filé de badejo ou pargo (qualquer peixe carnudo. Eu adoro badejo), cortados em nacos grosseiros
- 4 batatas-inglesas grandes, com casca e cortadas em pedaços grandes e irregulares
- 5 cebolas médias, cortadas em cruz na vertical (para cada cebola, você deve fazer 4 gomos)
- 1 erva-doce pequena, cortada em pedaços irregulares (nada muito delicado)
- 1 raminho de folha de erva-doce picada (neste caso, prefiro usá-la no lugar da salsa)
- suco de ½ laranja
- suco de 4 limões-galegos (se preferir, use apenas 2)
- muito azeite de oliva extravirgem (entre 200 ml e 300 ml)
- pimenta-do-reino branca moída na hora, a gosto
- sal marinho (não refinado) ou flor de sal, a gosto

Serve 6 a 8 pessoas

Numa travessa bem grande de vidro refratário, coloque o peixe já lavado e cortado, acrescente a batata, a cebola, a erva-doce, bastante pimenta branca moída na hora e o sal. Junte os sucos de laranja e de limão e o azeite. Com as próprias mãos, misture bem os ingredientes. Não se assuste, pode parecer tudo muita coisa, mas se a sua travessa for grande o suficiente, todos os ingredientes vão ficar acomodados de maneira confortável e estarão embebidos neste molho. Jogue agora a folha de erva-doce picadinha, cubra tudo com papel-alumínio e coloque no forno já preaquecido a 180° C. Deixe assar por 1h15 a 1h30. Você pode eventualmente abrir o papel e, com uma colher, misturar os ingredientes pra que todos os lados do peixe, da batata e da cebola absorvam o molho igualmente. Você saberá que o ponto está correto quando a cebola estiver completamente macia, a batata cozida e firme, o molho reduzido a, no mínimo, 1/3, e o peixe branquinho e cozido. Sirva imediatamente. É um prato fácil e muito saboroso. Eu adoro comê-lo com uma salada bem farta e generosa, com folhas crocantes de mostarda, acelga e espinafre. Já minha mãe, como boa mineira, não abre mão do arroz branco.

Abobrinha e salada de galinha

- 600 g de abobrinha, cortada em rodelas delicadas
- 500 g de peito de frango, sem osso e sem pele
- 1 maço grande de espinafre, picado (só as folhas)
- ½ cebola roxa, cortada em rodelas superfinas
- ½ xícara de chá de nozes, picadas grosseiramente
- ½ xícara de chá de queijo parmesão, ralado na hora
- 1 punhado de menta (hortelã) fresquinha, picada
- suco de 1 limão
- azeite de oliva extravirgem, a gosto
- sal e pimenta-do-reino moída na hora, a gosto

Serve 4 a 6 pessoas

Numa vasilha grande, coloque junto o azeite, o suco do limão, o sal e a pimenta. Acrescente a abobrinha, misture bem e deixe-a marinando enquanto você prepara seu frango. Numa frigideira grande com teflon, aqueça mais um pouco de azeite, em fogo médio, acrescente o peito de frango já temperado com um pouco de sal e pimenta e deixe-o grelhar até que os 2 lados estejam corados e bonitos, cerca de 6 a 8 minutos para cada lado. Tire da frigideira e corte-o em tiras finas. Junte o frango ainda quente à abobrinha que está marinando. Adicione então o espinafre, a cebola, as nozes, o parmesão e a menta, misture bem e sirva.

Farfalle ao molho de pomodoro e pesto

Este macarrão é prático, fácil de preparar e muito saboroso. Faz muito sucesso.

Molho de tomate:
- 1 cebola pequena, passada no processador (depois escorrida, sem a água)
- 1 lata de *pomodori pelati*, escorridos e cortados
- um pouco de azeite de oliva extravirgem
- sal e pimenta-do-reino moída na hora, a gosto

Massa:
- 400 g de *farfalle*
- 2 colheres de sopa de queijo parmesão, ralado
- molho pesto quase tradicional (veja receita p. 95)

Serve 6 pessoas

Molho de tomate: Aqueça um pouco de azeite numa frigideira e refogue a cebola por 2 a 3 minutos. Acrescente o tomate, deixe refogar por mais 10 ou 15 minutos em fogo baixo e acrescente o sal e a pimenta.

Massa: Cozinhe o *farfalle* conforme instruções da embalagem. Quando estiver pronto, escorra-o, acrescente o parmesão e misture então o molho de tomate. Sirva em pratos de sopa com 1 colher bem cheia de pesto no fundo de cada prato. Ponha o macarrão por cima do pesto. Fica lindo também se você colocar o pesto por cima do molho de tomate!

Frango grelhado com alecrim e limão

- 8 sobrecoxas de frango, com a pele
- 30 g de manteiga com sal
- 3 dentes de alho pequenos
- ½ xícara de chá de suco de limão (uns 2 limões)
- alguns raminhos de alecrim fresco, lavados e picados (ou 1 colher de sopa de alecrim seco)
- sal e pimenta-do-reino moída na hora, a gosto

Abóboras e abobrinhas grelhadas:
- 2 abobrinhas-italianas grandes, cortadas em rodelas grossas
- 3 a 4 abóboras japonesas (as pequenininhas e amarelas), cortadas em rodelas grossas
- um pouco de alecrim
- azeite de oliva extravirgem, a gosto
- sal e pimenta-do-reino moída na hora, a gosto

Serve 4 a 6 pessoas

Aqueça uma frigideira grande, em fogo médio, acrescente a manteiga e espere derreter. Acrescente o frango e deixe-o refogar por 2 a 3 minutos e adicione o alho, o sal, a pimenta e o alecrim. Depois que as ervas forem adicionadas, deixe o frango corar bem de todos os lados e vá acrescentando aos poucos o suco de limão; o frango ficará com um aspecto úmido e dourado. Ocasionalmente, mexa os pedaços de frango para que o limão e a manteiga se misturem bem às ervas e à carne. Isso levará uns 5 minutos. Sirva com legumes grelhados. Eu sugiro abobrinhas e abóboras japonesas (as pequenininhas e amarelas) grelhadas.

Abóboras e abobrinhas grelhadas: Coloque o azeite em uma frigideira, em fogo médio, e refogue o alecrim, o sal e a pimenta. Misture as abóboras e deixe-as corar dos dois lados, cerca de 3 a 4 minutos por lado. Sirva imediatamente. É um excelente acompanhamento pro seu frango.

Spaghetti com molho de calabresa

- 500 g de espaguete grano duro
- 1 kg de linguiça calabresa (picante, se preferir), moída (peça ao açougueiro para moê-la; ele provavelmente vai achar estranho, mas não se intimide)
- 1 cebola grande, passada no processador (depois escorrida, sem a água)
- 3 dentes de alho médios, amassados no pilão ou como preferir (fatiados, picados)
- 1 lata de *pomodori pelati*, escorridos e cortados em pedaços pequenos
- 200 ml de caldo de carne feito em casa (veja receita p. 93)
- queijo parmesão ralado, a gosto
- azeite de oliva extravirgem, a gosto
- sal e pimenta-do-reino moída na hora, a gosto

Serve 4 a 6 pessoas

Numa panela funda, coloque um bocado de azeite, acrescente a cebola e o alho. Refogue por alguns minutos até que estejam macios e corados. Depois acrescente a linguiça moída e deixe refogar entre 15 e 20 minutos em fogo médio. A linguiça ficará bem corada e grande parte de sua gordura irá derreter. Junte então os tomates, mexendo sempre para que todos os sabores se misturem. Neste ponto, o molho já terá a consistência que deverá ter ao final. Não tenha pressa ao preparar esse molho. Quanto mais tempo ele ficar na panela, mais saboroso ele ficará. É um caldo grosso e consistente. Desse ponto em diante, vá acrescentando o caldo de carne aos poucos. Espere secar e acrescente então sucessivamente, para que seu sabor se incorpore bem aos demais ingredientes, e o molho permaneça sempre reduzido. Ao final de uns 30 minutos, seu molho estará pronto. Tempere com sal e pimenta. Eu pessoalmente gosto muito quando esse molho fica espesso mesmo, quase como se fosse um purê de carne moída, só que feito de calabresas.

Nesse meio tempo, cozinhe a massa conforme instruções da embalagem. Escorra, pegue metade do molho e vá misturando-o com a massa pouco a pouco, para que ele se distribua de forma igual. Antes de servir, acrescente o restante do molho e leve à mesa. Coma com muito parmesão, de preferência, ralado na hora.

Erva-doce (funcho) assada com molho de vermute e raspas de laranja

- 1 kg de erva-doce (cerca de 3 ou 4 bulbos grandes), cortados de maneira irregular e sem os talos
- 3 a 4 dentes de alho médios, inteiros
- 100 ml de vermute
- raspas da casca de 1 laranja
- cerca de 100 ml de azeite de oliva extravirgem
- sal e pimenta-do-reino moída na hora, a gosto

Serve 6 pessoas

Numa travessa refratária, coloque os pedaços de erva-doce, o alho, acrescente o vermute e o azeite, de maneira que tudo fique bem úmido. Junte as raspas da casca de laranja, tempere com sal e pimenta e misture bem. Leve ao forno preaquecido a 180° C, coberta com papel-alumínio, por 20 a 25 minutos. Depois, retire o papel e deixe por tempo suficiente para que a erva-doce fique corada. Mexa com uma colher sempre que sentir necessário, para que todos os lados da erva-doce consigam absorver o molho de forma uniforme. Fácil, rápido e extremamente saboroso.

Este prato é uma delícia acompanhando carnes ou peixes. Fica assim mesmo, com bastante caldo em volta. Muitas vezes guardo-o na geladeira como se fosse uma conserva de erva-doce. Sempre que surge uma oportunidade, uso da maneira mais adequada. É gostosa até mesmo fria com pão.

Purê de brócolis com queijo roquefort

Esse purê é incrível, combina com praticamente tudo (acompanha muito bem carnes, peixes ou aves). Muitas vezes, quando os amigos aparecem e veem que não tem o famoso purê de brócolis, reclamam: "Puxa vida, tá faltando aquele purê!".

- **500 g de brócolis americano (que é mais durinho)**
- **50 g de manteiga sem sal**
- **50 g de queijo roquefort, ralado ou delicadamente esfarelado**
- **125 ml de água**
- **papel-manteiga ou papel-alumínio**

Serve 6 pessoas

Corte apenas os raminhos do brócolis, reserve os talos. Lave bem e escorra-os. Pegue os talos, apare as pontas endurecidas e descarte-as. Lave e corte o que irá usar em rodelas extremamente finas. Num tacho ou numa panela funda, derreta a manteiga, adicione os talos e cubra com papel-manteiga e uma tampa. Deixe cozinhar em fogo baixinho por uns 10 minutos, até ficarem macios, mas sem ganhar cor. Corte então os raminhos de brócolis da maneira mais fina e delicada que conseguir. Coloque-os no tacho com os talos refogados e acrescente a água. Misture tudo e deixe cozinhar, sem tampar, por mais ou menos 5 minutos, até que tudo fique macio e ainda bem verde. Então escorra o refogado e amasse todo o brócolis no espremedor de batatas, fazendo um purê bem fino. Transfira novamente para o tacho e esquente. Se sentir necessidade, pode acrescentar um pouco mais de manteiga. Misture o sal e a pimenta. Está pronto. Só quando transferi-lo para a travessa é que você irá acrescentar o queijo. Ele tem que ser incorporado ao purê no último minuto.

Fritada de batatas e cebolas

- 8 batatas pequenas
- 2 cebolas pequenas, cortadas em tiras fininhas (na vertical)
- 1 punhado de queijo parmesão, ralado (mais ou menos ½ copo)
- 10 ovos supergrandes, batidos
- ½ xícara de chá de creme de leite fresco
- 4 colheres de sopa de azeite de oliva extravirgem
- sal e pimenta-do-reino moída na hora, a gosto

Serve 4 a 6 pessoas

Cozinhe as batatas de maneira que fiquem macias, pero no mucho. Retire da água, descasque-as e corte-as em fatias irregulares. Preaqueça o forno a 250° C e, numa frigideira funda, dessas de metal que podem ir ao forno, esquente o azeite, acrescente as cebolas até que fiquem macias (cerca de 2 minutos), acrescente as batatas e deixe cozinhar, mexendo de vez em quando até que as batatas e as cebolas fiquem bem coradas (tipo douradinhas), cerca de 4 a 5 minutos. Reduza para fogo médio e junte o sal, a pimenta, os ovos e o parmesão. Misture com uma colher de pau para que o ovo, as batatas e as cebolas fiquem bem misturadas. Agora agregue o creme de leite. Com uma boa escumadeira, vá mexendo os cantos da sua fritada para que os ovos e o creme possam cozinhar uniformemente, mas cuidado, os movimentos precisam ser delicados ou sua fritada poderá se desmanchar. Cozinhe até que tudo esteja bem uniforme. Coloque agora a sua fritada dentro do forno e deixe corar até que os ovos estejam completamente firmes, por cerca de 10 minutos. Tire do forno, inverta a fritada no prato que for servir ainda quente.

Cozido de feijão branco com tomates e alecrim

- **500 g de feijão branco**
- **1 cebola média, inteira**
- **1 cebola grande, picada**
- **1 cenoura grande, dividida em 3, e depois cortadas em cruz**
- **4 latas de *pomodori pelati***
- **1 talo de salsão (aipo), cortado em pedaços grossos**
- **2 folhas de louro**
- **2 dentes de alho, macerados**
- **½ colher de chá de pimenta--vermelha, em flocos**
- **3 a 4 ramos de alecrim fresco**
- **2 colheres de sopa de azeite de oliva extravirgem + um pouco (para servir)**
- **sal e pimenta-do-reino moída na hora, a gosto**

Serve 8 pessoas

Lave os feijões e deixe-os de molho na água descansando por uma noite. Na manhã seguinte, escorra-os e transfira-os para uma panela grande. Cubra os feijões com 600 ml de água, acrescente a cebola inteira, a cenoura, o aipo e o louro. Espere ferver, depois reduza o fogo e deixe que os feijões cozinhem até ficarem macios, mas sem arrebentar a casca, por cerca de 1 hora. Escorra, retire a cebola, a cenoura, o aipo, o louro e descarte. Reserve o feijão. Passe os *pomodori pelati* com o próprio caldo da lata no processador até que estejam bem picados. À parte, numa panela funda, aqueça o azeite em fogo médio, acrescente a cebola picada, o alho e a pimenta-vermelha. Deixe refogar mexendo ocasionalmente, até que a cebola e o alho estejam macios, mas não escuros (cerca de 3 minutos). Acrescente o alecrim e o feijão e deixe refogar durante 2 a 3 minutos. Então, acrescente o molho de tomate, dê uma mexida, vez ou outra, até que ele engrosse. Tempere com sal e pimenta-do--reino e sirva quente com um pouco de azeite. Fica perfeito com carne vermelha ou frango.

Escondidinho do Lalau

Esse é um prato que meu pai adorava. Quentinho e light. Mas meu pai não gostava dele por isso (risos), afinal meu pai era magro, magro, magro de marré deci.

Cobertura:

- 750 g de batatas cozidas, sem pele e cortadas em rodelas
- 3 pastinagas cozidas, sem pele e cortadas em rodelas
- 150 ml de iogurte light
- sal e pimenta-do-reino moída na hora, a gosto

Recheio:

- 1 cebola grande, cortada em pedaços bem pequenos
- 3 talos de salsão (aipo), cortados bem pequenos
- 2 cenouras médias, cortadas em cubinhos
- 2 dentes de alho médios, amassados no pilão
- 1 colher de sobremesa de tomilho fresco
- ½ colher de chá de chilli, em pó
- 1½ pacote (pacote de 300 g) de ervilhas congeladas
- 1 kg de carne de peru, moída
- 200 ml de caldo de carne feito em casa (veja receita p. 93)
- 1 colher de sopa de azeite de oliva extravirgem + 1 colher de chá
- sal e pimenta-do-reino moída na hora, a gosto

Serve 6 pessoas

Cobertura: Passe a batata e a pastinaga no espremedor de batatas, misture com o iogurte e acrescente sal e pimenta. Reserve esse purê.

Recheio: Numa caçarola, esquente um pouco de azeite, refogue a cenoura, o salsão, a cebola e o alho, por 10 a 15 minutos, mexendo sempre, para que refogue bem. Acrescente o peru e refogue por cerca de 5 minutos. Tempere com o sal, o tomilho, o chilli e um pouco de pimenta-do-reino. Despeje o caldo de carne, deixe ferver por 1 minuto e adicione as ervilhas. Deixe cozinhando com a panela aberta por mais 5 a 10 minutos, para que o caldo se evapore. Transfira então para uma travessa refratária redonda e distribua o purê de batata e pastinaga por cima. Leve ao forno preaquecido a 200° C, até que o topo esteja coradinho e as laterais borbulhando, por aproximadamente 35 minutos.

Cebola roxa assada com manteiga e ervas

Quando eu não sei o que fazer para acompanhar minhas carnes, faço essas cebolas, fáceis e rápidas. Aprendi a fazê-las na França, visitando uma amiga. Os franceses fazem isso também com alho e fica maravilhoso.

- 6 cebolas roxas, grandes
- 1 tablete de manteiga sem sal, em temperatura ambiente
- tomilho e alecrim frescos
- sal e pimenta-do-reino moída na hora, a gosto

Serve 6 pessoas

Lave as cebolas, tire a primeira camada de pele delas e depois corte-as em cruz, mantendo a parte de baixo unida. Pegue uma forma refratária para colocar as cebolas. Com as mãos, separe cada cebola e enfie no meio dela 1 punhado de manteiga (cerca de 30 g a 40 g em cada, é importante que a cebola fique cheia de manteiga). Jogue por cima o tomilho, o alecrim, a pimenta-do-reino e uma pitada de sal (é importante que a manteiga, as ervas e o sal entrem bem dentro das cebolas). Leve-as ao forno preaquecido a 200° C, por cerca de 35 minutos. Um excelente acompanhamento.

Salada de radicchio e queijo de cabra

Eu sou fã incondicional de saladas, e não fico ligada porque são saudáveis, gosto mesmo e ao contrário do que pensam nem todas as saladas são light, algumas são bastante calóricas. Essa em especial fica no meio-termo, mas é tão simples e gostosa que vale a pena. Eu pessoalmente acredito que tudo o que comemos com alegria e sem culpa não engorda! (Risos)

- **1 maço de radicchio grande (cerca de 250 g)**
- **2 pacotinhos de pinoli torrados na frigideira (40 g)**
- **3 tomates italianos bem maduros (quanto mais vermelhos, melhor)**
- **120 g a 160 g de queijo de cabra**

Antes de começar lave bem todos os ingredientes: deixe tudo lavado e as folhas secas. Agora, corte as folhas do radicchio em tiras irregulares de mais ou menos um dedo de espessura e coloque no fundo da travessa. (Eu uso sempre uma travessa grande e oval de uns 45 cm de comprimento por uns 3 cm de profundidade, acho que fica mais bonito, mas você faça como preferir.) Corte os tomates ao meio, divida cada parte em três cortes verticais e depois cada parte menor em três também, mais ou menos como jogo da velha, ok? Assim os pedaços não ficam muito grandes e você pode espalhá-los bem pela travessa. Agora salpique os pinolis torrados em cima do radicchio e dos tomates, a combinação de cores fica linda! E por último, como toque final, esfarele com as mãos o queijo de cabra por cima de tudo em pedaços irregulares e grandes e pronto!! Fácil, bonito e todo mundo vai gostar.

Eu sirvo sem tempero e faço um molho à parte de azeite, vinagre balsâmico, sal e pimenta-do-reino moída na hora. O queijo de cabra fica uma delícia combinado com a acidez do vinagre balsâmico e o radicchio com os tomates e o pinoli. Espero que gostem!

Salada de pepino e azeitonas verdes, com iogurte

Essa salada faz muito sucesso depois da praia e pode servir gelada, fica mais gostosa ainda!

- **3 pepinos japoneses de tamanho médio/grande**
- **100 g de azeitonas verdes sem caroço e picadas em rodelas finas**
- **3 colheres de sopa cheia de iogurte natural (muitas vezes acabo usando mais)**
- **azeite de oliva extravirgem, a gosto**
- **hortelã picado, a gosto**
- **sal e pimenta-do-reino, a gosto**
- **suco de ½ limão (pode usar mais se preferir, prove e faça como gostar mais)**

Corte os pepinos em cubinhos pequenos, misture com as azeitonas e o iogurte. Misture bem e acrescente o azeite aos poucos. É importante que tudo fique bem cremoso e consistente, por isso se sentir necessidade de acrescentar mais iogurte, faça-o. Agora acrescente o limão, o hortelã e leve à geladeira por uns 40 minutos. Deixe o sal e a pimenta por último, não se esqueça que pepinos têm muita água e o sal desidrata, afinal não queremos a salada aguada. É uma salada bonita, fresquinha e gostosa, ótima para acompanhar peixes ou um bom tabule.

dicas

Você sabia?

Que o limão cozinha os alimentos? E o sal desidrata? Por isso, deixe para pôr o tempero nas suas saladas segundos antes de levá-la à mesa, pois folhas e verduras são muito delicadas e contêm muita água. Se você deixar a salada temperada com antecedência, você tem uma chance enorme de servir uma "salada-sopa" para seus convidados, tirando toda a "crocância" e frescor das verduras, frutas e legumes.

Bater os molhos é essencial para a mistura e alquimia dos ingredientes. Você pode observar, quando bate o azeite depois de ter acrescentado o sal, que imediatamente ele ganha consistência e espessura. Observe a interferência de sabor de cada um dos ingredientes, mas sempre, sempre mesmo, bata seus molhos com garfo como quem faz claras em neve. Você vai sentir a diferença de sabor.

Azeites: muito cuidado com o azeite que você consome. Existem inúmeros tipos de azeite. Os que eu recomendo são os extravirgens prensados a frio, pois, caso não saiba, o azeite, quando aquecido, se altera molecularmente. Pode continuar com um gosto incrível, mas deixa de ser tão saudável. Azeite frio é bom colesterol. Azeite quente é mau colesterol. Sou suspeita, confesso, sou absolutamente apaixonada pelo tal do azeite, quente, frio... Escolhi na minha dieta abrir mão de outras coisas para poder consumir azeite muito, muito à vontade.

Óleo de uva: nos supermercados mais transados, você encontra facilmente óleo de uva. São extremamente leves, saudáveis e nutritivos. Você também pode usá-los nas saladas e na cozinha, mas preste atenção: esse bichinho tem mil e uma utilidades. Além de incrível na cozinha, é um excelente hidratante. Você pode usá-lo no corpo todo e, se seus cabelos forem secos, pode pulverizá-lo nas pontas. Você verá uma enorme diferença! E não se preocupe, estou falando do óleo de uva de cozinha mesmo! Use e abuse!

Borrifadores: além de usar os óleos e os azeites dentro das garrafas tradicionais, gosto de ter sempre alguns borrifadores com os meus óleos preferidos. Rende mais, é econômico e extremamente eficiente. Você vai perceber: uma simples borrifada no seu rosbife ou naquelas batatas-doces que você irá fazer ao forno, é mais do que suficiente para umedecê-los e corá-los. Sempre que possível, livre-se do excesso!

Quando estiver cortando cebola e alho, todos nós sabemos que é inevitável aquele cheiro impregnado nas mãos. Mas aí vai o truque da libertação: pegue 1 punhado de sal e esfregue-o nas mãos (como se estivesse areando-as) com um pouco de água; depois, lave as mãos em água corrente. O milagre está feito! E você pode voltar pra sala com as mãos incríveis, afinal de contas, você acabou de fazer um peeling básico.

Curiosidades sobre o vinagre balsâmico: o que é sabido como tradicional vinagre balsâmico começa como um cozimento de suco de uva (para que você saiba, as uvas precisam ser cozidas numa fogueira aberta) e é produzido principalmente em Modena e Reggio Emilia, províncias da Emilia-Romagna, uma região do nordeste da Itália. Ele passa por esse processo de evaporação e envelhecimento por pelo menos 12 anos e ao longo do processo ele vai se decantando e passando para barris abertos e cada vez menores, ou seja, encontrar um vinagre balsâmico que siga todas as recomendações necessárias para que ele mantenha a qualidade é coisa bastante rara. Chega a custar às vezes uma pequena fortuna por apenas 100 ml. Imagine um vinagre balsâmico de 20 anos, quanto não custará?!

Como usá-lo? Coloque em prato fundo e aproveite. Pode usá-lo com pão, pincelado sobre galinha, carne ou salmão antes de grelhar e fica excelente até mesmo com presunto de Parma. Eu particularmente não gosto, mas sei de gente que gosta e muito de comer morangos com sorvete e uma pitada de vinagre balsâmico. Faça como achar melhor. Descubra o que lhe agrada.

Flores comestíveis: não sou muito de usar flores nos meus pratos, mas reconheço que são muito bonitas e dão sempre um toque a mais de charme e beleza. As flores comestíveis que eu conheço:

Amor perfeito – possui várias formas diferentes. Felizmente seu aroma é bem suave e dá um toque bem alegre ao seu prato, seja na decoração ou numa salada;

Borago – veio do Mediterrâneo, de origem espanhola. É muito bonitinha, particularmente a minha preferida, pois me lembro da infância e dos cata-ventos com que brincava por aí;

Begônia – tem uma variação de cores enorme, excelente pra decorar pratos e são extremamente delicadas;

Capuzin – é uma das flores comestíveis mais fáceis de se encontrar. Pode parecer estranho, mas tem um sabor levemente picante e vai muito bem em saladas;

Flor de abobrinha – confesso, absolutamente tudo que vem da abobrinha me apetece, essa é uma flor muito delicada e perfeita para ser usada em uma salada, mas eu prefiro mesmo fazê-la frita, à milanesa, acrescentando um pouquinho de pimenta-do-reino misturado à páprica picante na farinha. Também fica excelente como um aperitivo para tomar com um bom vinho branco. Tenho amigas que pegam essa linda flor e conseguem fazê-la até recheada. Meus talentos não chegam a tanto.

Momento feira: é fundamental que você escolha produtos sempre frescos, não apenas porque são mais saborosos e ricos em nutrientes, mas também porque é ecologicamente mais inteligente. Pensem bem, com certeza a banana dos trópicos é bem melhor que a banana da Finlândia, sacaram? Por isso valorizem sempre os produtos naturais e típicos da sua região. Compre pouca comida, use-a com inteligência. Comprando menos, você a usará mais rápido e ela se manterá sempre fresca. Aqui na minha casa, faço feira 2 vezes por semana, compro bem pouquinho num dia e complemento no outro. Assim, as frutas e as verduras daqui, na minha cozinha, estão sempre frescas e apetitosas.

Pastel de feira: sempre que puderem e tendo a oportunidade, não deixem de aproveitar um dos prazeres mais característicos das feiras do nosso país: os pastéis. As barracas de pastéis em nossas feiras estão ficando cada vez mais sofisticadas e a variedade de sabores é incrível. São uma verdadeira delícia e nos dias de frio então, sou capaz de tomar um copo inteiro de suco de caldo de cana (garapa).

VALENTI

Manteiga: Me desculpem muito, mas, além de nada prático, acho muito cafona servir manteiga congelada seja em que forma for para se comer à mesa. Eu sugiro que você ajude seus convidados a se divertir mais facilmente com essa tão querida (e perigosa) companheira. Eu sirvo em pratinhos individuais em temperatura ambiente.

Panos de prato: na cozinha, seja criativo e arrisque! Eu tenho visto por aí uns panos de prato lindos! Acabei me animando e uso-os como jogo americano. As pessoas adoram. Sempre que encontro algum que eu curta mais, compro. Acabei formando um belo conjunto e uso sempre. São grandes, coloridos, despojados e, na minha opinião, muito chiques e descolados. E o melhor de tudo: são baratíssimos!

Louças: escolha louças grandes e brancas (minhas preferidas). Quando achar uma que lhe agrade, se estiver em condições, compre sem hesitar. Está aí uma peça que você vai usar ou como travessa de ir à mesa, ou como bandeja de aperitivos, ou até mesmo como centro de mesa, dependendo de sua criatividade. Aproveite que estamos no Brasil e sirva muitas frutas aos seus convidados. Elas combinam com qualquer tipo de bebida — especialmente os vinhos —, são *light* e lindas de morrer, vocês não acham?!

Panelas: invista em bons produtos para a sua cozinha. Mais vale uma boa panela do que 500 panelas mais ou menos. Invista sempre na qualidade do produto. Pode custar um pouquinho mais caro, mas duram muito mais! Pode ter certeza!!!

LE CREUSET

Bandejas: gosto muito de coisas simples e despojadas. Como gosto de receber pessoalmente, prefiro me preparar para um grupo pequeno de pessoas. Quando vem muita gente, tenho que elaborar o meu jantar com pelo menos uma semana de antecedência. Vou dividir com vocês agora, ideias simples e gostosas, perfeitas para receber um grupo menor de amigos. E lembre-se: o mais importante é abusar das cores e explorar os elementos para que tudo vá à mesa e chegue até os seus queridos amigos da maneira mais bonita possível.

Eu adoro servir coisas diretamente na bandeja de prata. Evidentemente com muito cuidado, para que sua bandeja não fique riscada. Por isso, prefira alimentos que você possa pegar com as próprias mãos. Adoro quando vou a festas e posso tomar sopa em copinhos, pegar morangos com minhas próprias mãos, e nozes também. Acho muito bacana. É uma maneira simples e aconchegante de deixar todos a vontade. Porém só funciona para recepções pequenas.

Flores: eu, ao contrário de muita gente, sou louca por cravos. Todos eles! Acho que possuem uma beleza ímpar e são extremamente decorativos. Esta é uma bandeja que pode estar em qualquer canto da sua casa, simplesmente para dar um toque à sua decoração.

Por favor, escolham, sempre que possível, velas sem perfume. Na minha opinião, o único lugar onde velas perfumadas são permitidas é nos lavabos (risos).

Quando as bandejas são idênticas, também é muito bonito fazer dois arranjos diferentes e colocá-las lado a lado. Coisas simples, às vezes, enfeitam muito mais do que podemos imaginar. Por vê-las diariamente, não conseguimos perceber o quão legais elas são. Por exemplo, sou louca por copinhos de cachaça transparentes. São perfeitos para servir sopas, caldos ou até mesmo para usá-los como vasinhos. E essas carambolas... hummm... Além de lindas, tem uma cor incrível. E nada mal servi-las com tomatinhos, pois são mais doces e ficam bem interessantes se misturados. Fica aí a sugestão.

Pães: para mim não existe nenhuma possibilidade de pensar minha vida sem eles. É claro, evidentemente, a menos que esteja fazendo uma dieta. Aí de fato o que conta é a disciplina, não é mesmo?! Mas se esse não for o seu caso, descubra a delicatessen mais perto da sua casa e compre uma boa quantidade de pães quando for receber amigos.

Panos: adoro panos, grandes ou pequenos, tanto faz, de preferência coloridos ou étnicos! Sempre que estou viajando e vejo algum bonito trago pra casa, pois sei que em algum momento vou usá-lo! Os últimos que comprei trouxe de uma viagem linda que fiz pra Bahia. Tenho orgulho de encontrar essas verdadeiras belezas, que normalmente não custam muito, e usá-las para decoração! Sei também que não estou dizendo nada novo, mas a diferença está na realização, não é mesmo?! Afinal, quantas boas ideias não se perdem no campo do imaginário? Por isso corra atrás e não deixe de trazer coisas bonitas pra casa. Elas podem fazer toda a diferença na sua mesa!

livros que eu indico

Pra mim, livro de receita tem de funcionar. Meu critério básico: boas receitas que funcionem de primeira. E o mais legal em cozinha é que uma vez dominada aquela receita, você pode incrementar e variar de acordo com seu gosto. Isso torna as possibilidades de combinação infinitas. Tenho vários livros e algumas revistas também. Vão aí os meus preferidos.

Cozinha de Bistrô • Patricia Wells • Rio de Janeiro
Sinergia Editora • 1989

No dia que encontrei este livro, eu estava voltando de um trabalho, esperando no aeroporto de Recife, cheia de tédio e cansaço. Foi a primeira vez que conheci um pouco do trabalho dessa americana tão apaixonada por comida, Patricia Wells. Você não dá nada pelo livro, a princípio parece um livro bem pobrinho, capa mole, sem uma única fotografia. Mas é do tipo que eu gosto, fácil de carregar, tamanho perfeito; levo pra cozinha, faço tudo com ele e nem me incomodo quando às vezes espirra um pouco de molho nele ou o sujo com algum ingrediente que estava usando na hora. Mas o mais importante é: todas as receitas funcionam. Você pode gostar mais de uma do que de outra, mas definitivamente a preocupação maior da autora foi juntar uma quantidade de receitas saborosas, na maioria fáceis de fazer e, definitivamente, corretas. Confie.

Técnicas de Confeitaria Profissional • Mariana Sebess
SENAC Editoras • 2007
Técnicas de Cozinha Profissional • Mariana Sebess
SENAC Editoras • 2007
Chef Profissional • Instituto Americano de Culinária
SENAC Editoras • 2009

Estes três livros foram editados no mercado brasileiro recentemente. Era o que faltava pra completar sua biblioteca culinária. São livros que se aprofundam na arte de cozinhar, ensinando de técnicas básicas às mais elaboradas, o passo a passo de cada coisa. É uma trinca fundamental pra quem gosta de cozinhar e quer se aventurar mais por esse universo. São realmente incríveis.

Il Talismano de La Felicitá • Adaboni • Roma
Casa Editrice Colombo • 1990

Este é, acredito, o mais tradicional livro de culinária italiano. É a versão italiana do nosso famoso *Dona Benta*. Não precisa de nenhuma outra recomendação, não é mesmo? São receitas autênticas, passadas provavelmente por uma legítima *nonna*, que, por sua vez, aprendeu tudo com a *nonna* dela.

À Mesa com Monet • Claire Joyes • Rio de Janeiro
Salamandra • 1989

Este livro é uma delícia. Inclusive porque nos permite conhecer um pouco mais da vida desse grande pintor, como, de certa forma, entrar na sua intimidade. Descobrimos como era seu jardim, que tipo de louça gostava mais, qual era a cor da parede da sala de jantar. Eu imagino Monet um homem muito exigente, que saía cedo pro seu ateliê e gostava sempre das coisas perfeitas e impecáveis dentro de casa. Todas as receitas deste livro são incrivelmente saborosas e também funcionam. Não há uma única receita que eu tenha tentado e que não consegui executar. São pratos bem condimentados e saborosos. Eu adoro!

Mastering the art of French cooking • Julia Child • New York
Borzoi Books • 2009

Este livro é o livro que levou a famosa chef americana ao estrelato, como vimos recentemente no filme *Julie & Julia*. Esta mulher foi responsável pela disseminação da culinária francesa na cultura americana. Foi a primeira chef pop star e seu programa na televisão era o maior sucesso. Suas receitas são muito técnicas e minuciosas, mas nem por isso menos saborosas e interessantes. É o que podemos chamar de cozinha francesa tradicional.

O Chef sem mistérios • Jamie Oliver • São Paulo
Editora Globo • 2005

É o primeiro livro deste tão querido e simpático chef inglês. É o meu preferido. Todas as receitas são simples e saborosas. É visível a preocupação que ele teve ao fazer o livro: de realmente ajudar quem se interessa por entrar na cozinha. Ele me ajudou muito, pois foi o primeiro chef a dizer que as receitas são de certa forma particulares, só você que a está preparando pode realmente saber e, portanto, decidir se coloca um ovo a mais, ou um pouquinho mais de azeite e etc. Foi uma grande libertação. Foi quando descobri o que gosto de chamar de "olhômetro".

Comidas de botequim **• Ana Judith de Carvalho • Rio de Janeiro**
Editora Nova Fronteira • 1981
Este livrinho simples contém receitas absolutamente fantásticas, vindas do que há de mais tradicional na cultura brasileira: o botequim. Se você esbarrar com ele por aí, não deixe de comprá-lo, vale a pena.

Parigi **• Rogério Fasano • São Paulo**
DBA Editora • 2002
Sou fã de tudo que envolve a família Fasano. Sou freguesa confessa de todos os seus restaurantes. Acho que o Rogério prestou um grande serviço a todos nós, pois, graças a ele, conseguimos ter acesso à comida italiana de várias regiões diferentes. Não sei quanto a vocês, mas eu sou tarada numa comidinha italiana.

As doceiras **• Carla Pernambuco e Carolina Brandão • São Paulo**
Companhia Editora Nacional • 2013
Gosto da Carla e antes de tudo admiro sua trajetória pessoal. Nos conhecemos há anos, nunca fomos amigas, mas sempre acompanhei seus passos e quando penso em "doce", penso sempre naquele suflê maravilhoso de goiabada com calda de catupiry!!! Delicioso e inesquecível! E outra coisa, suas receitas funcionam mesmo e são todas deliciosas!

E claro, por último, mas não menos importante, o nosso tradicional

Dona Benta **• São Paulo**
Companhia Editora Nacional • 1940
Foi meu primeiro livro. Acho que, na verdade, o livro que eu tenho foi da minha mãe, pois o pobre não se aguenta mais de tão velho. Se chega alguém estranho em casa, é aquele tipo de livro que a gente tem vergonha e tenta esconder no cantinho, sabe? Mas não largo e não troco este livro por nada.

glossário

Al *dente*: ponto específico de cozimento. Quer dizer "ao dente", portanto, nem muito duro, que seja difícil de morder; e nem cozido demais, que se dissolva na boca. *Al dente* é o ponto certo. Serve tanto para massas quanto para legumes.

Arroz arborio: de origem italiana, é o tipo mais comum dentre os italianos e por isso o mais barato por lá. Os seus grãos são grandes e de um branco mais perolado. Perfeito para risotos que levem porções generosas de carne.

Arroz *carnaroli*: é de origem italiana, sendo um arroz híbrido, com mais amido. É o favorito por lá. O grão demora mais a cozinhar, porém mantém melhor o cozimento *al dente* e seu risoto sai sempre mais cremoso.

Azedinha: como o próprio nome diz, é uma hortaliça bem azeda, como o limão, e também um pouco picante, como a rúcula e o espinafre. É mais comum encontrá-la em hortas caseiras em Minas Gerais, Rio e São Paulo. Rica em cálcio e vitamina C. É usada para saladas e também picadinha como tempero de pratos ou como parte fundamental de risotos e sopas.

Baby alcachofra: alcachofras ainda pequenas, muitas vezes as chamamos de "broto de alcachofra". Podem ser comidas cruas.

Baby rúcula: é a planta colhida muito jovem, quando os pezinhos estão com apenas 6 cm de altura. Obviamente é bem mais macia e com sabor mais delicado que a normal.

Bresaola: carne bovina seca e curada com sal durante algum tempo.

Chilli: existem variações enormes de chillis. Sua origem é do México. Hoje já se espalhou por todos os lugares. O chilli serrano é uma dessas variações de uma cor roxa muito, muito escura, que se encontra sempre seco e que dá um sabor mais moderado aos seus pratos. É conhecido também como chilli do Novo México. Você encontra em grandes supermercados ou em delicatessens. Caso não encontre, pode substituir pelo chilli vermelho mesmo, mas cuidado, fica muito mais picante.

Cortado à julienne: é um termo em francês para este tipo de corte, que significa fazer finos palitos de vegetais ou frutas. Podem ser usados de forma decorativa para vários pratos. Observação: a faca tem que estar bem afiada.

Cranberry: uma espécie de cereja típica dos Estados Unidos, mas cujo suco você encontra facilmente por aqui.

Crostata: palavra de origem italiana que quer dizer nada mais que uma crosta crocante.

Dill (endro ou aneto): fresco (as folhas) ou seco (as sementes), o dill parece muito com a erva-doce (funcho). Tem sabor suave, porém marcante. É usado em sopas, saladas e principalmente em peixes. Também é usado no preparo de picles, vinagres aromáticos e molhos. Esta é uma dica pra você usar o restante do seu maço de dill: pode congelar o dill fresco picadinho em pequenas porções (1 colher de sopa em cada saquinho), mas só poderá usá-lo, sem que se descongele, em pratos que irão ao fogo.

Flor de sal: a flor de sal é branca, úmida e cristalina. É uma finíssima película de cristais de sal que se forma na superfície da água das salinas. A flor de sal não sofre qualquer processamento posterior, seca ao sol e depois é embalada, mantendo o sabor e a umidade do mar.

Flor de sal gourmet: é um tipo de sal raro, que se forma unicamente nos dias de maior calor entre julho e setembro, o que é muito apreciado pelos melhores cozinheiros do mundo, sendo considerado uma especialidade gourmet.

Grana Padano: tradicional queijo parmesão, porém vindo da Itália, feito na região do vale do rio Pó. É feito com leite de vaca, é amarelo escuro, duro, esfarela facilmente e tem uma aparência oleosa. O queijo, quando cortado, tem um aspecto granulado e tem um aroma delicado, aliás, melhor que ralá-lo, eu sugiro que você simplesmente, com uma faca, vá partindo pedaços irregulares grosseiramente e comendo-os, pura e simplesmente. Ele também vai muito bem com nozes, castanhas, uvas e evidentemente, sobre massas. Já não dizia o velho ditado? Macarrão sem queijo é como namoro sem beijo.

Massa grano duro: o macarrão seco pode ser feito de diversos grãos e diversos tipos de farinha. Os de boa qualidade são geralmente feitos de farinha de semolina e uma espécie de trigo chamado *durum*. São especialmente os meus favoritos. Adoro uma boa massa grano duro preparada bem *al dente*.

Pinoli ou pinhão-do-Líbano: são uns pinhõezinhos, sementes de um pinheiro típico do Mediterrâneo. Receitas de molho ao pesto tradicional levam pinoli. Fácil de achar em casas especializadas em comida árabe ou supermercados. Geralmente vem cru.

Pomodori pelati: tradução literal = tomate sem pele. Eu conheço 3 formas de extrair a pele do tomate. A primeira e mais simples é espetá-los em um garfo e levá-los ao bocal do fogão por 1 ou 2 minutos. A pele irá naturalmente explodir, assim ficando fácil para que você termine de retirá-la com as próprias mãos. A segunda maneira: coloque os tomates e derrame uma água bem quente sobre eles. Imediatamente a pele irá se soltar e você ira escutar um barulhinho pfff (como um balão que se esvazia). O seu tomate ainda estará durinho e consistente, porém a pele estará prontinha para ir embora. Terceira forma: sou muito criticada por isso, porém essa é a minha preferida. Eu gosto mesmo de tirar a pele dos tomates simplesmente descascando-os como se fossem laranjas. Tenho na minha cozinha uma faquinha muito bem afiada que é excelente para esse tipo de coisa. Consigo tirar a pele do tomate sem estragar a polpa.

Pot-pourri: essa expressão normalmente é associada a música onde em uma única faixa colocamos várias músicas diferentes, fazendo uma mistura. Portanto, incorporando essa expressão à culinária, isso quer dizer uma mistura de diferentes elementos.

Sal marinho: é totalmente natural e conserva a riqueza mineral da água do mar.

Wok: é um utensílio básico da culinária asiática, muito usada na China para cozinhar legumes porque, ao cozinhá-los rapidamente, eles mantêm maior número de vitaminas. Ao wok você pode acrescentar alguns acessórios, como algumas cestas de vime com ou sem tampa que você coloca no centro da panela, normalmente já com água, para que você possa cozinhar ao vapor legumes, verduras e peixes.

índice de receitas

A

B

C

L

M

O

P

Q

R

S

T

V

índice remissivo

www.carolinaaugusta.com.br

Instagram @carolinaaugusta